D1114587

Solo integral

Fernando Savater

Solo integral

Ariel

Primera edición: noviembre de 2021

Derechos exclusivos de edición en español:
© Editorial Planeta, S. A.
Avda. Diagonal, 662-664, 08034 Barcelona
Editorial Ariel es un sello editorial de Planeta, S. A.
www.ariel.es

ISBN: 978-84-344-3395-3
Depósito legal: B. 16.494-2021

Impreso en España

Para ti, como siempre

Índice

La escalada en solo integral [*free solo*], también conocido simplemente como *solo,* es una forma de escalada libre donde el escalador (el solista integral) renuncia a cuerdas, arneses y otros equipos de protección durante el ascenso, y se basa únicamente en su físico: la fuerza y la capacidad de trepar.

Entrada en Wikipedia

Introducción

> Soy tan egoísta que lucho por la felicidad de los demás, para que no me molesten.
>
> Luis García Berlanga

> *Do not go gentle...*
>
> Dylan Thomas

Cuando murió Sara, inolvidable amor de mi vida y colaboradora íntima de la mayor parte de cuanto escribí, sentí que mi futuro —valga la ironía....— sería vacío y apático. La filosofía, a la que durante décadas dediqué curiosidad y esfuerzos semiprofesionales aunque nada académicos, se me aparecía como una variedad de esoterismo similar a la homeopatía o la quiromancia pero aún más pedante. Imposible volver a abrir ni uno de aquellos libros que en su día me gustaron tanto, ni mucho menos volver a escribir algo parecido. En cuanto a los artículos de prensa, la parte más grata de mis obligaciones, tampoco resultaba obvio a qué tema podría dedicarlos: la política me interesaba cada vez menos, ese veneno se debilitaba; la literatura y el arte eran para mí funciones casi exclusivamente retrospectivas (ya no leer sino releer, ver películas que ayer me gustaron, el arte de los antiguos...), de modo que no me inspirarían gran cosa para interesar a los cada vez más escasos lectores del diario, y mi única pasión que seguía vigente, las carreras de caballos, era un vicio casi tan privado como la masturbación. Pero dejar de escribir en la prensa era casi como declararme paralítico voluntario...

Entonces mi amigo Borja Hermoso, donostiarra como yo, me propuso un nuevo tipo de colaboración semanal en *El País*: una columna de trescientas palabras (lo más breve que había escrito nunca). Era en cierto modo un desafío por la periodicidad, y también por el ejercicio de concisión impuesto, que exigía renunciar a las argumentaciones extensas que alguna vez me parecieron indispensables. Esto último fue lo que me resultó más tentador, porque la muerte de Sara me había desengañado de los silogismos y demás circunloquios del razonamiento. Solo soportaba lo breve y epigramático, a la manera de Baltasar Gracián o, al menos, de Odo Marquard. Las columnas no eran artículos propiamente dichos, aunque tampoco aforismos ni epitafios, dos géneros modélicos al gusto de Cioran. Contaba en ellas más la forma contundente y resumida, levemente irónica, que la trascendencia del tema planteado. De modo que sí, merecía la pena probar esa nueva factura aunque no fuese más que para no perder la mano y distraer un poco la tristeza.

El entonces director de Opinión del periódico, José Manuel Calvo, me concedió como día de aparición de mi columna el sábado, el mejor a mi entender para tener lectores. Era aquel *El País* de entonces dirigido por Antonio Caño, donde escribía José Ignacio Torreblanca, Maite Rico, Rubén Amón... Un *dream team* que desconcertaba e irritaba por igual a nuestra clientela más talibán pero que bastantes seguimos echando de menos. Así comenzó esta nueva etapa de una vida como periodista que dura ya bastante más de medio siglo. Y debo decir que pensando, componiendo y afinando mis columnas lo he pasado mejor que nunca. Será porque ahora me aburre todo antes y la concisión me conviene...

Cuando dirigía *Combat* (¡qué bonito nombre para un periódico de opinión!), Albert Camus recomendó a sus colaboradores el patrón del artículo ideal: «Una idea, dos ejemplos, tres cuartillas». La columna es más breve todavía (las mías, por exigencia de maquetación del periódico, son de trescientas palabras, como ya he dicho), pero también debe llevar una idea o quizá dos, los ejemplos que las apoyan, alguna broma, puede que una cita intencionada... ¿Cabe todo eso en tan pocas líneas? El dilema perverso de la columna es entre ser ligera pero vacua o rica en contenido pero amazacotada. Le pasa lo mismo que a los *pintxos* de mi ciudad: desde que se ha puesto de moda el peligroso concepto de la «cocina en miniatura», ya no se contentan con ser un trozo de pan con un poco de chorizo cocido o un pedazo de tortilla clavado encima, sino que acumulan capas de pescado en salsa, tomate, carne guisada, fruta confitada, escabeche..., yo qué sé más, en una tambaleante torrecilla que por lo general se desmorona pringosa al tratar de morderla. Todos los elementos por separado son sabrosos, pero juntos se anulan unos a otros y convierten la degustación en un acto circense. En general, lo difícil para mí al escribir una columna no es carecer de ideas, sino que se agolpen demasiadas hasta hacerse inmanejables. Ser parco es la prudencia del estilo; ser torrencial no es riqueza, sino desbarajuste. Los que abominan de la página impresa por sus estrictas limitaciones de espacio y prefieren los blogs o demás escenarios virtuales porque allí «se puede uno alargar cuanto quiera» es que no saben escribir o que creen al lector tan ocioso y desocupado como ellos.

En este libro he seleccionado unas cuantas de mis columnas que me parecen guardar cierta actualidad de fondo y forma, y a continuación he añadido de cada una otra de igual extensión, a modo de reflejo en el lago del presente, para prolongarla o desmentirla. Precedo esta segunda parte con la mención *Col tempo...*, no tanto por la canción de Léo Ferré, sino por el impresionante cuadro atribuido a Giorgione que tantas veces he visto en la Academia de Venecia: una anciana devastada por la edad pero que fue y aún sigue siendo bella... a su manera.

Como es natural, los lectores que me han hecho el favor de leerme han apreciado estos breves textos de manera dispar. Bastantes se han sentido irritados por la «derechización» que ven en ellos. España es un país sorprendente por muchas razones; entre ellas, esta: todo el mundo es de izquierdas... menos los fascistas. Es una insólita característica ideológica que afortunadamente no deja tantas huellas como podríamos temer en el funcionamiento de la vida comunitaria. Lo malo es que algunos que tenemos evidentes simpatías por la socialdemocracia, porque la consideramos una de las tres patas imprescindibles de la democracia actual (asunto sobre el que trata el último texto de este libro), detestamos la demagogia comunista y los complejos socialistas que les hacen compartirla. Y, por supuesto, no consideramos «progresista» en ningún sentido de la palabra reconocer el separatismo vasco, catalán, gallego, el que sea, como una fuerza «de izquierdas» tal como la entendimos en nuestros buenos tiempos. No hay nadie más reaccionario en España que los separatistas, y cuanto más radicales, más reaccionarios, porque amenazan con destruir la unidad del Estado, base de la ciudadanía de los libres e iguales. Pero a los intelectuales de izquierdas el separatismo solo les preocupa en la medida en que da votos a la derecha: siguen convencidos de que es un asunto «territorial», como si fuera un problema fronterizo, en lugar de considerarlo un ataque a la noción misma de ciudadanía, como el racismo o la discriminación por sexo o religión.

De modo que si ser de izquierdas es compartir los planteamientos y procedimientos políticos de Zapatero o Pedro Sánchez, debo reconocer que no soy de izquierdas. Aún más, admito negarme a eso de que combatir a la derecha sea el primer objetivo de los progresistas, que dar la voz de alarma diciendo que viene la extrema derecha sea lícito y en cambio haya que resignarse a tener representantes de la extrema izquierda en el Gobierno (prefiero sin dudarlo a Santi Abascal que a Pablo Iglesias, aunque no votaré a ninguno de los dos) y que toda defensa de identidades colectivas eróticas, religiosas o estéticas deba prevalecer sobre los derechos individuales de cada cual. Para qué hablar del absurdo de la autodeterminación de género, delito de lesa estupidez contra la biología y la educación infantil, o la disparatada suposición de que los crímenes machistas se motivan únicamente por la condición femenina de las víctimas. A los que me preguntan cómo he cambiado tanto con lo de izquierdas que yo fui, les respondo que (aparte de mi derecho a mejorar intelectualmente, reconocido incluso a tan provecta edad) la pregunta que deben hacer es cómo ha cambiado tanto la izquierda que yo conocí.

Entonces, si no soy ya de izquierdas, ¿qué soy? Me siento tan perplejo como aquel chino de la primera película de Spike Lee (*Haz lo que debas*, 1989) que se enfrentó a un tumulto de negros indignados cuando estaban destrozando los comercios de los blancos del barrio. Plantado a la puerta de su negocio, trató de detenerles gritando: «¡Yo no soy blanco!». «¿Ah, no? Y entonces ¿qué eres?» Después de vacilar un instante, el asediado chino repuso: «Pues... ¡seré negro!». Si no soy de izquierdas y nunca he sido de derechas —pregunten a los derechistas si lo dudan—, no tengo más remedio que ser fascista. Como acertadamente dijo Gregorio Luri en su libro *La mermelada sentimental*: «Hoy es fascista, y por tanto falta a la verdad e incita al odio, todo aquel que se atreve a poner en cuestión el giro lingüístico de la revolución, que es el intento de imponer la hegemonía del lenguaje políticamente correcto». De eso me temo que se encontrarán mucho en las páginas que siguen.

Naturalmente he recibido en los últimos tiempos abundantes reprimendas por mi actitud ideológica, que en general suelo tomarme con cierto buen humor salvo en casos de mala fe manifiesta (véanse Sánchez Cuenca *et al.*). Quizá la columna que despertó más escándalo fue la que terminaba diciendo que iba a votar como presidenta de la Comunidad de Madrid a Isabel Díaz Ayuso, que para la izquierda es más bien Jezabel. La verdad es que mi decisión de voto era poco original, de hecho me acompañaron mucho más de millón y medio de madrileños, pero despertó enorme ira en los maltrechos partidarios de los derrotados, que por lo visto se consideraban con derecho divino de ganar los comicios. Uno de quienes se enfadó más fue Luisgé Martín, un novelista interesante que redondea sus ingresos escribiendo los discursos de Pedro Sánchez. En una entrevista aparecida en *El Mundo* (11 de agosto de 2021) decía que a su madre, que vive en Usera, le podría perdonar que votara a Ayuso, pero a mí no. No conozco ninguna minusvalía política de quienes habitan ese barrio popular, por tanto no entiendo bien ese dicterio. Si hubiera dicho que su madre vivía en el barrio de Salamanca o en Puerta de Hierro aún podría explicarse como una alusión a que solo los ricachos apoyaban a Jezabel, pero en Usera... En fin, da igual porque la muy malvada ganó en todas partes, afortunadamente. En la misma entrevista, el ocurrente Luisgé lamentaba que «la imbecilidad tiene cada vez más presencia pública». No podría estar yo más de acuerdo, pero he llegado a esa conclusión —y creo no ser el único— precisamente oyendo los discursos llenos de mentiras y flagrantes contradicciones de Pedro Sánchez. Dado que ahora sabemos que los escribe él, no creo que Luisgé Martín sea el más indicado para deplorar la imbecilidad reinante...

En muchas cosas he cambiado, sin duda, pero sigo siendo (como casi desde mi niñez) un ávido lector de periódicos. Hoy permanezco fiel a las plumas más acertadas e inteligentes de nuestra prensa: los artículos políticos de Félix Ovejero y Cayetana Álvarez de Toledo, de Irene González y Arcadi Espada, los más literarios de Félix de Azúa, Jon Juaristi y Andrés Trapiello, los de Jacinto Antón (que tan gratamente comparte mi afición a los tigres y a los aventureros de toda laya), los de Ignacio Marco-Gardoqui (el único economista que me ilustra y me hace reír juntamente) y bastantes otros. Pero si se trata de la columna como género, incluso como arte, no creo que nadie supere hoy a Rosa Belmonte en aunar el tino del fondo con la gracia de la forma. Entre tanta mucama engreída y tanto dómine Cabra (ejem), las abundantes columnas de Rosa sobre actualidad política, televisión, sociedad, etc., me suponen invariablemente un auténtico refrigerio.

Cuando mi Sara murió yo andaba ya cerca de los setenta años, una edad en la que las resacas duran cada vez más y las erecciones, cada vez menos... Entre la tristeza y la vejez, creí que había llegado la hora definitiva de la renuncia. Pensé dejarme hundir en el pantano del tiempo como Séneca en la bañera de agua tibia tras cortarse las venas. Una forma mansa de esperar el final. Pero me pasó lo que a Séneca, que de vez en cuando pedía que le cerrasen provisionalmente las heridas para discutir temas filosóficos con sus amigos y así retrasaba la llegada de lo inevitable. Y después, ya harto, pidió que le diesen algún medio más enérgico para acabar de una vez porque malo es agonizar pero, además, inacabable cuando se goza de buena salud... De igual modo, a pesar de la niebla constante de tristeza, yo seguía teniendo brotes de indignación que me ponían en pie de guerra o fulgores placenteros que me halagaban los sentidos. Esos sobresaltos paraban mi declive. Largo, todo se me hacía largo... Entonces te encontré, Karen, o mejor dicho, me encontraste tú a mí. No sé lo que hubiera hecho Séneca en mi lugar, pero me trajiste a la memoria los tonificantes versos de Dylan Thomas:

No entres dócil en esa dulce noche.
Debe arder la vejez y delirar al fin del día.
¡Rabia, rabia contra la agonía de la luz!

Gracias, Karen, por obligarme a delirar de nuevo. ¡Cuánto lo echaba de menos!

San Sebastián, septiembre de 2021

Caca

20 de junio de 2015

¡Pobre España, descoyuntada entre los saqueadores y los mutiladores! Sin duda necesita una regeneración política, pero no vendrá de quienes solo saben contar hasta ciento cuarenta.

Hace tiempo Bernard-Henri Lévy me contó las barbaridades que decían de él en las redes sociales. Tenía un dispositivo de aviso para cuando su nombre aparecía mencionado, a cuyo reclamo se apresuraba a comprobar descortesías e indecencias. Le aconsejé el modo infalible, aunque anticuado, con que yo me ahorraba tales disgustos: no frecuentar esa ciénaga para no sentirme nunca emporcado por las materias fecales que se arrojan a ella.

Pero ahora la cosa se ha vuelto más difícil, porque los amigos de la caca, pis y culo han salido del retrete de la Red y se los encuentra uno en todas partes, por ejemplo en los ayuntamientos. Ya sospechábamos que la huella de la zafiedad franquista y la cursilería falangista tenía que hacerse notar en un país de poca educación cívica como este: pues ahí está. Y junto a los regüeldos, ellos y ellas no dejan de mencionar la «dignidad», aunque a su lado una lombriz adquiere prestancia de dragón heráldico.

Algunos los toman por marxistas, pero la brutalidad simplificadora es lo contrario de la tesis de Marx, la cual no recomienda prescindir del conocimiento para transformar el mundo, sino que lo exige como requisito para el cambio revolucionario. Lo peor —con ser malo— no es que los brutos se manifiesten antisemitas, necrófilos o feminazis, sino que sean brutos, o sea, que presenten un perfil de inconfundible estupidez como recomendación de buena voluntad para ocupar puestos de responsabilidad. No hay más que repasar las bufonescas cláusulas empleadas por muchos ediles para aceptar sus cargos: salvo el «te lo juro por Snoopy» se ha oído berrear de todo.

¡Pobre España, descoyuntada entre los saqueadores y los mutiladores! Sin duda necesita una regeneración política, pero no vendrá de quienes solo saben contar hasta ciento cuarenta.

Col tempo…

Lo que más me preocupa al leer esta columna de hace ya seis años, o sea, de las de mi primera hornada, es que el diagnóstico que entonces avanzaba sobre el país y los desaprensivos o imbéciles que lo desuellan de sus mejores cualidades en aquel momento parecía un exabrupto catastrofista y hoy ha perdido interés porque es simplemente un tópico comúnmente aceptado. Noten que cuando escribí el texto que comento aún no existía la «terrible amenaza» de Vox que hoy carga con el sambenito de ser la peor de las sombras sobre nuestra democracia. Precisamente la «caca» de la que hablo es el abono del que surgió Vox, como reacción extremista a una indecencia generalizada con pretensiones revolucionarias. No me oirán elogiar los remedios preconizados por Vox a los males de la patria, sobre todo porque en línea nacionalista e intransigente se parecen demasiado a esos males que pretende extirpar. Pero tampoco voy a suscribir el dictamen del sentido común de los «progres» que carecen de él por el que convierten a Vox en el Coco que nos debe asustar, mientras disimulan bajo la alfombra la caca que fingen no oler. Recuperar la dignidad no es invocarla a troche y moche, mientras se la olvida y pisotea (la de las víctimas del terrorismo que deben soportar homenajes públicos a sus verdugos, la de los estudiantes demócratas, y por tanto antiseparatistas, de la universidad catalana hostigados por su compañeros [?] y por sus autoridades académicas, la de partidos y movimientos políticos que padecen agresiones y escraches cuando tratan de manifestar sus puntos de vista, la de medios de comunicación de titularidad pública dedicados a la desinformación más sectaria y a predicar contra personas o instituciones molestas para el Gobierno, la de las más altas jerarquías gubernamentales sometidas aquiescentemente al chantaje de sus indeseables apoyos electorales, etc.), sino encarnarla en la práctica cívica de cada día. Eso es lo que echo de menos, y desde la desaparición (por falta de apoyo de los electores) de UPyD y la decadencia irreprimible de C's, todavía mucho más. Si en estas páginas suena a veces un lamento es por el civismo arrinconado y el populismo político corruptor, no por otra cosa.

Pedigrí

18 de julio de 2015

«¡Familias, os odio!», decía André Gide para seducir a los jóvenes. Pues con Pablo Iglesias lo tendría crudo.

Cuenta Amartya Sen que un fascista hablaba con un campesino italiano tratando de reclutarle para el partido. El buen hombre se excusaba, humilde: «Mire, es que mi padre fue socialista, como mi tío, como mi abuelo... De modo que debo ser socialista yo también». «¡Qué absurdo! —se indignaba el fascista—. Y si tu padre fuese un ladrón y tu abuelo un asesino, ¿qué tendrías que ser tú?» «¡Entonces sí! —dijo radiante el campesino—, ¡entonces con mucho gusto me afiliaría al partido fascista!»

También Pablo Iglesias blasona de que su tío abuelo, su abuelo, sus padres, todos fueron socialistas o comunistas y padecieron persecución por ello. De modo que él «lleva la izquierda tatuada en las entrañas con orgullo», que ya es llevar. Conozco ganadores del Derby con menos pedigrí. En nuestros tiempos de olvido o desdén de los valores familiares es bueno saber que aún hay jóvenes fieles a la tradición. Dijo Josep Pla que en este mundo podrido (el suyo, el nuestro; cualquiera) solo hay tres cosas de pureza conmovedora: la pasta *asciutta*, el vino de Riesling y el amor filial. Iglesias tiene este último flanco bien cubierto.

Sin embargo, algo de razón llevaba el reclutador fascista: aceptar la transmisión genética de la ideología política no carece de riesgos. ¿Diremos que si Pablo hubiese nacido en una familia de radicales islámicos ahora correría alfanje en mano tras los cristianos que se pusieran a su alcance? ¿Entiende ese joven tan prometedor que sus adversarios son todos de estirpe franquista y llevan por tanto el derechismo incorporado de fábrica? ¿Volvemos a la limpieza de sangre y a la hidalguía de cuna, tan españolas?

«¡Familias, os odio!», decía André Gide para seducir a los jóvenes. Pues con Pablo Iglesias lo tendría crudo.

Col tempo...

Esta fue una de las primeras columnas que publiqué. En cierto sentido, fue una especie de declaración de intenciones y también de estilo. En cuanto a este último, una amiga muy querida lo llama «estilo cowboy», lo cual, naturalmente, me halaga: cierta agresividad bienhumorada, ironía; en fin, más que un estilo, un estilete. Pero también declaraba mi intención de desmitificar ese desembarco invasor de una izquierda glamurosa, nutrida con guacamayos y arepas recién importadas del parloteo bolivariano, algo así como el realismo mágico de García Márquez aplicado al progresismo. A quienes conocemos bastante los países hispanoamericanos y sus debates es más difícil hechizarnos con estos embelecos populistas, pero en el resto de España el embrujo funcionó de manera sonrojante. Aún ahora continúa dando coletazos, pero ya fuera del agua y a punto de pasar a la cesta del pescador. Su representante más esclarecido ha sido sin duda Pablo Iglesias, que tiene una notable habilidad para moverse en el mundo audiovisual y domina el arte de hablar con eslóganes —hoy tuits— y disimular su falta de bagaje teórico con dogmas sonoros. Pero sobre todo, en la época en que escribí la columna, se esforzaba por asegurarse un pedigrí que se remontara al cielo republicano y la santísima gloria anterior a la victoria franquista. Ese autobombo interesado duró hasta ser abatido certeramente por Cayetana Álvarez de Toledo cuando le recordó que provenía filialmente de un terrorista del FRAP, organización dedicada a cometer crímenes para obstaculizar la implantación de la democracia y no para emancipar a los explotados. Esa filiación le hacía simpatizar más con los proetarras en una *herriko* taberna que unirse a quienes con riesgo personal nos manifestábamos contra los violentos en el País Vasco. O apoyar regímenes como el chavismo o el castrismo cuya implantación en España hubiera horrorizado a la mayoría de los millones de tontos —sí, tontos, lo siento— que le votaron en sus primeras apariciones electorales. En fin, como aperitivo de lo que iba a venir luego, la columna no está mal, ¿verdad?

Gobernar

25 de julio de 2015

A mí tampoco me gusta la política de inmigración de Alemania ni de la UE, pero me pasa como a los demás: no sé qué hacer.

Sucedió en un colegio, al este de Alemania. La canciller Merkel charla con los niños. Reem, una palestina, le cuenta su caso: viene de un campo de refugiados en Líbano y ha pasado cuatro años estudiando en Alemania. Ahora a su padre se le acaba el permiso laboral y tendrán que volverse. Ella solo quiere tener la oportunidad de acabar tranquilamente sus estudios, como el resto de los niños. Reem habla un perfecto alemán. Es preciosa, despierta, frágil. Yo, pobre de mí, le prometería la luna con tal de verla sonreír.

Merkel no. En un tono monocorde le explica que ella es una niña inteligente, pero que en Líbano hay miles de palestinos que quieren inmigrar y Alemania no puede hacerse cargo de todos. De modo que si su padre no tiene permiso de trabajo, tendrán que salir del país. La niña se echa a llorar. Merkel se acerca, la acaricia, le dice que lo ha hecho muy bien. Las redes sociales, que ante los problemas no aportan soluciones sino escándalos, se indignan: «falta de empatía», «frialdad», «la inmigración no se resuelve con carantoñas»... Ya, bueno.

A mí tampoco me gusta la política de inmigración de Alemania ni de la UE, pero me pasa como a los demás: no sé qué hacer. En cambio, como vivo en un país en que los gobernantes tratan a los ciudadanos como a niños mimados y la oposición como a adolescentes rebeldes, me pasma de admiración una dirigente que habla a los niños y adolescentes como a ciudadanos. Razona sus decisiones y las defiende con firmeza y sin miedo, aunque caiga antipática, aunque haga llorar, aunque los imbéciles digan que es nazi. Puede estar equivocada, pero se sabe responsable. Y en eso consiste gobernar, ¿se acuerdan?

Col tempo...

Lo curioso es que después de este incidente los reproches a Merkel se centraron en que había sido demasiado permisiva con la inmigración; vamos, que había «abierto demasiado la mano». Cuando escribo este comentario hace pocos días que Merkel ha concluido su mandato como canciller. Se ha ido rodeada de la veneración de casi todos, incluso de quienes fueron sus enemigos. La mayoría de las críticas que le han hecho, además de referirse a su excesiva generosidad con los inmigrantes, se han centrado en que ha sido incapaz de encontrar un reemplazo a su altura en su partido. Quizá porque no lo había... Así que los electores han preferido votar al representante socialdemócrata, que fue ministro en el Gobierno de Merkel. Otra demostración de que ella estuvo más allá de los partidos y sus rencillas identitarias, aplicando en cada caso el tipo de solución adecuada al problema planteado sin mirar si el *label* que llevaba correspondía a una ortodoxia u otra. Esa madurez de juicio es lo exigible a un político, mientras que el dichoso «carisma» es un envoltorio atractivo pero que a veces sirve para tapar serias deficiencias. Merkel no tuvo carisma en el sentido habitual y deslumbrante del término, pero sí pareció carismática a quienes buscamos gobernantes racionales, capaces de explicar sus decisiones de modo articulado y sin trampas, con preparación científica, que traten de convencer más que de seducir. Unos cisnes negros que no abundan precisamente en el parlamentarismo español. Creo que los políticos son como los profesores, deben guiar e ilustrar a su clientela, no entretenerla embobada con juegos de manos. Ni unos ni otros son animadores de fiestas de cumpleaños. Los maestros trabajan con menores de edad y por lo tanto deben procurar no ser aburridos sin dejar de ser serios. Pero los políticos pueden ser todo lo aburridos que quieran con tal de que sean también competentes, honrados y veraces, como lo ha sido Angela Merkel. Ahora que Messi deja su equipo, podríamos ficharla a ella para que nos ayudase a limpiar el campo de Agramante en que vivimos...

Giovinezza

1 de agosto de 2015

¿A santo de qué les cuento todo esto? Vaya, pues se me ha olvidado.

En las elecciones alemanas de 1930, los nazis pasaron de poco más del 2 % del electorado a superar el 18 %. Entusiasmado siempre por la juventud y por el entusiasmo mismo, Stefan Zweig celebró el impulso «quizá nada sensato» pero arrolladoramente saludable con que los jóvenes rechazaban la lenta y vacilante democracia convencional del Reichstag.

Fue un joven de veinticuatro años, Klaus Mann, hijo de Thomas y excelente escritor él mismo, quien tuvo que recordarle la frecuente tendencia juvenil a lanzar juicios sumarísimos sobre realidades complejas que apenas entienden, como ocurría precisamente entonces, cuando «tantos estaban empeñados en propagar la regresión y la barbarie con el mismo impulso y determinación que debería reservarse para mejores propósitos». Atreviéndose a rectificar a un autor maduro y admirado como Zweig, Mann le recordó que «la revolución de la juventud puede estar al servicio e interés de fuerzas nobles e innobles».

Pronto lo comprobó Stefan Zweig por sí mismo. Sus obras fueron quemadas públicamente, su nombre prohibido en editoriales y publicaciones, su casa de Salzburgo saqueada... Tras vagabundear exilado por Inglaterra, Estados Unidos y Brasil, se suicidó con su mujer en Petrópolis en 1942. Klaus Mann también tuvo que exilarse, denunciando incansablemente el nazismo. Nacionalizado estadounidense, se alistó en el ejército y desembarcó en Italia. Después de la guerra, sus escritos críticos e inconformistas tuvieron problemas para ser publicados. Finalmente se suicidó en el sur de Francia en 1949. Y, mientras, los jóvenes europeos siguieron apostando por movimientos radicales que cancelasen de una vez la modorra democrática establecida.

¿A santo de qué les cuento todo esto? Vaya, pues se me ha olvidado.

Col tempo...

Tener ideas radicales en la juventud es una dolencia común, yo diría que casi inevitable si se disfruta de la suficiente vehemencia y cierto afán de enmendar la plana al universo. El prototipo es Hamlet, cuando en el primer acto de su tragedia se queja de que «el mundo está desquiciado y él ha nacido con la tarea de tener que arreglarlo». Muchos hemos sentido el peso de esa misma obligación, una vocación entre lúdica y religiosa que nos empujaba a romper los cristales de invernaderos que no sabíamos la flora que cultivaban. Saber poco y sentir apasionadamente es como emprender un camino escarpado sin mapas ni equipaje: se va más deprisa, aunque no podríamos decir adónde. Aunque tengo mal carácter, como saben quienes me frecuentan, nunca logro enfadarme de veras con gente joven, por disparatadas, infundadas y peligrosas que sean las doctrinas por las que están dispuestos a matar y, en algunos casos, a morir. Recuerdo demasiado bien mi bullicioso y a fin de cuentas bastante feliz deambular por el muy poblado suburbio de la estupidez. Cuando bastante tardíamente quise enmendarme, dije que «había sido un revolucionario sin crueldad y aspiraba a ser un conservador sin vileza». No sé si es suficiente como acto de contrición... A los que nunca he podido soportar ni tolerar es a los viejos que viven de dar rentablemente la razón a los jóvenes. Los hay que superan a los adolescentes más entusiastas con su radicalismo resabiado: su secreto anhelo es sacrificarlos en el altar de su vanidad y nutrirse de su sangre inocente como vampiros. En la Grecia clásica se sospechaba de los guerreros que vivían demasiado: en la *Ilíada*, los cadáveres de los jóvenes héroes son descritos como hermosos y fragantes, mientras que los caídos demasiado veteranos están polvorientos y retorcidos, con la mano en los genitales y otros detalles poco complacientes. Lo mismo debemos aplicar a los revolucionarios más ruidosos: si apenas han salido de la adolescencia, hasta pueden emocionarnos con su arrebato justiciero por despistado que esté; pero esos maduros, esos viejales que se ufanan de ser más radicales aún que ellos y les piden «¡más, aún más!», si fueran sinceros no habrían vivido tanto ni llegado a catedráticos. Creo que merecerían ser fusilados. Bueno, perdón, no quiero decir tanto, me dejo llevar por lo que censuro en otros: bastará con cien azotes bien dados y el ridículo en la plaza pública.

700 + 450 = 1150

Barbarie

5 de septiembre de 2015

Se han desempolvado las condenas eclesiales de la fiesta taurina desde hace siglos.

El pasado agosto volvieron los toros a la plaza de Illumbe, en Donostia, y los taurinos, como estábamos contentos, decidimos tomarnos los consabidos exabruptos animalistas con cierto buen humor. Además, repetir una vez más los argumentos ya sobados y desatendidos es cosa que aburre a las ovejas... y seguro que aburrirlas es maltrato animal y se enfadarán aún más con nosotros. La única novedad ha sido que a la luz de la encíclica del papa franciscano («Hermano Francisco, no te acerques mucho...») se han desempolvado las condenas eclesiales de la fiesta taurina desde hace siglos. Lo cual me parece un argumento a favor, no en contra: algo prohibido juntamente por los papas y por Bildu no puede ser malo del todo...

De lo que no me bajo es de que bárbaros fueron y son quienes tratan a los hombres como animales o viceversa: el cíclope Polifemo, el tirano Falaris... y Calígula, que nombró senador a su caballo. Otros casos: esa portavoz bildutarra que ha advertido a la mayoría municipal: «Si recuperan las corridas, que no nos vengan luego hablando de las víctimas de ETA». O ese bienintencionado animalista que, al leer tuits obscenos alegrándose de la cogida de Fran Rivera, protestó que él está contra el sufrimiento de todos los animales, toreros incluidos.

El peor y más famoso de esta estirpe fue Adolf Hitler, cuyas dos primeras leyes fueron para proteger a la Madre Tierra y a los animales. Luego condenó a judíos, homosexuales, gitanos, etcétera. Por cierto, como era tan antitabaquista como antisemita, inventó lo de advertir «Fumar mata» en las cajetillas, después asumido por nuestras democracias intimidatorias. Claro que en su caso hubiera debido poner para ser más exacto: «Fumar también mata»...

Col tempo...

Da un poco de reparo tener que volver a repetirlo, pero este es un caso en el que hay que decir, como Voltaire: «Me repetiré hasta que me entiendan». Digámoslo: la barbarie, desde nuestros padres griegos, consiste en confundir el trato debido a los hombres con el de los animales y viceversa. O sea, no reconocer a nuestro prójimo específico entre los vivientes. Equivale a rechazar la fraternidad humana o aceptar como familia a las cucarachas. La ética es el reconocimiento de lo humano por lo humano, no de lo vivo por lo vivo o de lo capaz de sentir dolor por lo que siente dolor. Sabemos que ser humano es fundamentalmente lo mismo para todos nuestros congéneres, sea cual fuere su sexo, raza, cultura o capacidad intelectual. Pero aunque compartimos la vida y la sensibilidad al dolor con los animales, no podemos decir que vivir o padecer sean lo mismo para nosotros que para ellos. Podemos trazar todos los vínculos y parecidos que queramos entre unos y otros, pero nos distancia el hiato de una diferencia específica hecha de consciencia del tiempo y de la muerte, imaginación del mundo y capacidad simbólica que legisla, comunica y reconoce obligaciones y prerrogativas. Precisamente en los campos donde hay empeño en encontrar más similitudes, como el «lenguaje» o el orden social de ciertos grupos zoológicos, es donde se ven más claramente las radicales diferencias más allá de anecdóticos parecidos. Sobre todo, los humanos vamos más allá y más hondo que un puñado de emociones compartidas con nuestros compañeros animales. Por eso es tan importante no perder en la enseñanza escolar el desarrollo de un conocimiento no basado exclusivamente en sentimientos, sino un pensamiento abstracto, una experiencia extrapersonal entendida y no meramente sentida. La barbarie consiste en creer que el instinto protector de la hembra con sus crías, sin duda emotivo, es lo mismo que la filiación humana. Que los humanos tengamos tantos aspectos regidos por la evolución biológica no quiere decir que los demás seres vivos compartan los dones humanos nacidos de la historia del espíritu.

(-) 2 líneas sobrias

(-) Pero, ¿que tienen que ver el culo y las pestañas?

(-) Si estás tan aburrido ve al cine, a los caballos ó masturbate.... Pero matar a un pobre animal como pasatiempos...
Bueh!

Identidad

26 de septiembre de 2015

El núcleo de todo fervor identitario es religioso, aunque su orientación y vocabulario sean laicos.

Milan Kundera dijo que los rusos empiezan por llamar «eslavo» a todo lo que quieren convertir en ruso. De igual modo, Germà Gordó llama «países catalanes» a lo que quiere anexionar a su ilusoria república catalana. Son ejemplos de identidades culturales pervertidas para justificar maniobras políticas. Pero ese mismo fenómeno ocurre también con identidades piadosas, étnicas, eróticas, ideológicas... Son variantes que nos explica y contra las que nos advierte Jean-Claude Kaufmann en su excelente librito *Identidades. Una bomba de relojería* (Editorial Ariel). La democracia contemporánea ha ampliado la autonomía de cada ciudadano, que puede y debe elegir los rasgos que le caracterizan con una libertad que desampara a los menos dispuestos o peor preparados para tal aventura. Las identidades colectivas, fuertes y obligatorias, les dispensan de esa búsqueda personal, acogiéndolos bajo lo que Nietzsche llamó «un calor de establo» homogéneo y tranquilizador.

El núcleo de todo fervor identitario es religioso, aunque su orientación y vocabulario sean laicos. Se basan en dogmas tan sugestivos como indemostrables, prometen alguna forma de bienaventuranza y movilizan a los creyentes contra la caterva de infieles que se interpone entre ellos y el paraíso. En el fondo, aunque cree que aspira a un premio mayor, el fanatismo de la identidad es ya una recompensa en sí mismo. Nadie tiene que torturar su mente buscando razones para elegir bien, basta con saberse parte del pueblo elegido. No opongas resistencia, relájate y disfruta. O padece, que ser víctima también es un gozo cuando la recompensa es una buena conciencia libre de dudas. Lo importante es tener claro quiénes son los enemigos, porque ellos delimitan la identidad. Háganse el favor de leer a Kaufmann: reforzará sus identidades menos obtusas y más inclusivas, les hará temer las otras.

Col tempo...

Las identidades son los diversos papeles que cada uno vamos representando con más o menos fortuna a lo largo de nuestra vida. Unas las recibimos en la cuna (blanco, varón, hijo primogénito de Fernando y María Victoria, estrábico, donostiarra, español...) y según vamos creciendo aprendemos a gestionarlas, aunque algunas nos ajusten como un guante y otras siempre se nos resistan un poco. La educación, familiar y escolar, es adaptarnos a las identidades que los adultos que nos rodean consideran preferibles y estigmatizar otras posibles que se consideran indeseables. Debemos ser lectores y no analfabetos, geógrafos, gramáticos, historiadores y saber sumar, restar y hacer quebrados, cosas que muchos millones de humanos antes de nosotros murieron ignorando. Después es la propia sociedad en la que vivimos (máxima dispensadora de identidades) la que nos atribuye otras: amigo, rival, aficionado al fútbol, partidario de la Real o del Real Madrid, seductor o seducido, amante, triunfador o frustrado, gracioso de tertulia, bravucón, pagafantas... Algunas identidades son de quita y pon, es decir, se adoptan en un momento determinado y luego se sustituyen por otras: nos despertamos siendo maridos, vamos al trabajo como empleados, somos jefes de sección o becarios, enamorado clandestino de la secretaria, polemista con los compañeros a favor de Podemos o de Vox, luego nos convertimos en padres para recoger a los niños del colegio, somos burgueses durante la cena y la peli de televisión, bebemos de más como borrachos de mediana edad, tratamos de cumplir como amantes con nuestra mujer, nuestro último pensamiento al dormirnos es para la muerte, el dudoso Más Allá, o sea que nos convertimos en religiosos. Después la identidad más misteriosa de todas: durmientes, durante siete horas... Hoy padecemos fanáticos o psicópatas que se empeñan en reducir toda esa diversidad a algo único, omniabarcador y excluyente: creyente o ateo, catalán, vasco, de izquierdas o de derechas, superior o inferior, rico, pobre... La identidad se vuelve nociva y peligrosa (para uno mismo y para los demás) cuando se hace única, como los libros son peligrosos cuando solo se lee uno, las religiones y las ideologías políticas cuando se tiene una dogmática para denigrar a las otras, hasta los amores si se enorgullecen de una fidelidad sin frivolidades...

Maltrato

7 de noviembre de 2015

Quien conozca mi afición a la hípica comprenderá cuánto llega a repugnarme la fechoría de ese sujeto.

Un motivo más para envidiar a los animales: ellos no tienen que soportar a los animalistas y nosotros sí. Veamos: un bruto mata a palos a su caballo después de una mala actuación en el hipódromo de trotones de Manacor. Quien conozca mi afición a la hípica comprenderá cuánto llega a repugnarme la fechoría de ese sujeto. Pero también me repele que se utilice el caso para generalizar sobre el maltrato que sufren los animales en nuestro país. Precisamente lo sucedido sirve para marcar la diferencia entre tratar a un animal bien, es decir, de acuerdo con los fines para los que ha sido criado (yo diría «inventado»), y maltratarlo, o sea, martirizarlo por puro rencor. Maltratar a un caballo de carreras no es hacerle competir para mantener viva su raza y, de paso, alegrar los corazones de quienes le admiran, sino castigarlo estúpida y brutalmente. Claro que también se les maltrataría suprimiendo los hipódromos por razones falazmente «humanitarias» y condenándolos a la extinción...

Los medios informaron profusamente del episodio de Manacor, pero nada dijeron en cambio de que en esas mismas fechas se disputó en el hipódromo de Madrid el Día de Campeones, donde pudo verse competir a nuestros mejores amigos equinos, ante la emoción de quienes más les apreciamos. Esa jornada brillante no interesa, porque solo tienen morbo informativo, en lo que respecta a la hípica, los accidentes, los fraudes o las burradas de los malnacidos. Imagínense que al fútbol o al automovilismo se los tratase igual... Dedico esta nota a Michelle Payne, primera mujer que ha ganado la Melbourne Cup, la carrera que paraliza a una nación. De familia hípica, Michelle sabe cómo debe tratarse correctamente a un animal, sin confundirle con una reencarnación con cuatro patas de su tía solterona.

Col tempo...

La pasión por el *turf*, es decir, las carreras de caballos, ha sido uno de los ingredientes fundamentales en el cóctel de mi vida. Fue mi padre quien me transmitió la afición en mi primera infancia y a lo largo del tiempo solo he ido aumentándola, mientras la ilustraba con numerosas lecturas (soy de esos que cuando aman algo, por escasamente intelectual que parezca, lo demuestran leyendo cuanto cae en sus manos sobre el tema). Por fortuna, el *turf* ha inspirado abundantemente a escritores, pintores y cineastas. Hay donde aprovisionarse de las mejores vituallas artísticas... Naturalmente, el estatuto social de los hipódromos y sus frecuentadores ha cambiado mucho a través de las épocas. No porque los ciudadanos nos hayamos ido haciendo más amantes de la naturaleza y respetuosos de los demás seres, sino por todo lo contrario. Hace un par de siglos, incluso en gran medida el siglo pasado, nuestras sociedades occidentales estaban mucho más próximas a lo que ingenuamente llamamos «lo natural» (por supuesto, a fin de cuentas todo lo es, salvo los dioses y la imaginación simbólica humana), o sea, el campo abierto, los animales como compañeros de labor, guerra o paseo y no solamente como mascotas, los deportes vinculados a tareas laborales tradicionales en la tierra o en el mar. Los humanos convertimos en dioses lo que creemos inalcanzable: el sol, la luna, las estrellas, los antepasados, las cimas de las montañas que no se atreven a escalar... Los animales arquetípicos fueron origen de cultos divinos primordiales, y hoy, que ya no nos los encontramos con facilidad en lugares cotidianos ni convivimos con ellos salvo en zonas muy determinadas y exclusivas, se han revestido de una dignidad sacra. Es obligatorio tratarlos como seres al margen de nuestros apetitos o necesidades, fines en sí mismos y no medios para ninguna otra cosa (alimento, transporte, aprendizaje o diversión) según la más estricta moral kantiana. Las carreras de caballos, como la fiesta de los toros, tienen su inicio en una época más rural que la nuestra incluso en las ciudades, cuando se tenía una familiaridad con las bestias que permitía tratarlas de acuerdo con lo que eran biológicamente y no según idealizaciones sacralizadoras. Los caballos corrían, los toros luchaban, los cerdos y los bovinos nos procuraban proteínas, y los humanos interactuábamos espontáneamente con ellos para mejorar nuestras vidas. Tratar *bien* a un animal no es tratarle como a una persona, sino de acuerdo a la condición y características de su animalidad, muchas veces conseguidas a base de ingenio y paciencia por la cría humana. Los bárbaros modernos son quienes ignoran esta verdad elemental.

Nihilismo

21 de noviembre de 2015

Para Isaiah Berlin, lo que distingue al civilizado del bárbaro es que está dispuesto a sacrificarse por valores en los que no cree del todo.

El sábado preelectoral tras el 11-M volvía por la noche de cenar con una amiga cuando, al pasar cerca de Génova, me rodearon un grupo de histéricos vociferantes. Uno me espetó: «¡Vais a hacer que nos maten a todos!». Supongo que se refería a la brega contra ETA y las manifestaciones de Basta Ya. Nada teníamos que ver con aquellos atentados, ni tampoco ETA, pero al parecer consideraba que todos los enemigos del terrorismo azuzan el avispero y son culpables de las letales picaduras. Ahora también hay entre nosotros quienes equiparan los bombardeos franceses contra las bases de EI con los atentados de París. Vaya, los bombardeos de por sí no tienen muchos aficionados, salvo José de Espronceda, que era romántico: «Me gusta ver la bomba / caer mansa del cielo...». Preferimos la paz, que cuenta ahora con un Consejo impulsado por Podemos para sumar al proceso de paz a la salsa Bildu de Euskadi. ¿Cuál es el contenido de esa «paz» sin vencedores ni vencidos cuyo conjuro debe disuadir mejor que las armas a los cortadores de cabezas sarracenos? Se parece mucho a la nada radiante de los teólogos negativos. André Glucksmann se equivocó empeñándose en considerar nihilistas a los terroristas de la yihad contra Occidente. No, el peligro nihilista de la autodestrucción asumida se plantea al revés. No son nihilistas los que predican los valores de la muerte, sino los que no defienden los valores de la vida. No son nihilistas los que creen en la plétora de sentido del Otro Mundo, sino quienes se han aburrido de esforzarse por el sentido relativo y frágil de este en el que vivimos. Para Isaiah Berlin, lo que distingue al civilizado del bárbaro es que está dispuesto a sacrificarse por valores en los que no cree del todo.

Col tempo...

Ya sabemos que para que el mal prevalezca en el mundo y arrase con todo solo hace falta que los buenos no hagan nada. Que consideren que la cosa no va con ellos, que por qué van a movilizarse si no son culpables de lo que ocurre, que desafiar a los malvados no hace más que empeorar las cosas y crispar el panorama. Como siempre (o al menos cuando era más joven) he solido saltar como un resorte ante cualquier jugarreta perversa y tocar el clarín que llama al combate, me he ganado cierta fama de optimista entre los perezosos que cuelgan su hamaca en el pesimismo del bostezo. Pues la verdad es que no, todo lo contrario: soy francamente pesimista y por eso creo que es imprescindible movilizarse contra lo aborrecible. Imaginen que están en su salón favorito, cómodamente repantingados en su sillón leyendo una buena novela de Javier Marías o Pérez-Reverte, cuando de pronto ven entrar llamas por la puerta que da al pasillo. El optimista seguirá leyendo, después de suponer: «No será nada, algo de aceite que se quema en la cocina». O: «No seré el único en darse cuenta, seguro que ya hay gente intentando apagarlo». O aún más: «Si es un incendio, que lo apaguen los bomberos, que para eso pagamos al ayuntamiento. Yo no entiendo de esas cosas». En cambio el pesimista se alarma desde el primer momento, está convencido de que llega una catástrofe, da voces alertando a los demás miembros de la familia y al vecindario, llama a emergencias y busca un extintor o un cubo de agua. En una palabra, como es pesimista sabe que los problemas no se resuelven solos, que rara vez viene en nuestra ayuda una solución milagrosa y que o ponemos manos a la obra o acabaremos bien jodidos, con perdón. Nihilista es quien no hace nada, ni bueno ni malo: los que asesinan a cientos de personas son cualquier cosa menos nihilistas... ¡Mejor nos iría si realmente lo fueran! Y, sobre todo, no seamos nosotros nihilistas «blancos» porque la pereza nos haga suponer que es malo mancharse las manos con la negrura de este mundo...

Cómplices

9 de enero de 2016

Arteta transmite sin la menor soflama política la obscena crueldad de los terroristas y su saboteo tenaz de la incipiente democracia, igual que la repulsiva indiferencia.

Cuando se preguntó a la directora de Euskal Telebista, Maite Iturbe, por qué no había programado el impresionante documental *1980*, de Iñaki Arteta, crónica del año más criminal de ETA, ella repuso que ni siquiera lo había visto pero que le comentaron que era «sesgado». Yo lo he visto dos veces y tiene razón: Arteta transmite sin la menor soflama política la obscena crueldad de los terroristas y su saboteo tenaz de la incipiente democracia, igual que la repulsiva indiferencia o hasta justificación indirecta de los asesinatos por respetables hipócritas, entre ellos, algún clérigo de alta gama. No es ecuánime ni comprensivo con la faena etarra, qué pena. Para compensar, EITB programó otro documental, *Ventanas al interior*, firmado por cinco directores vascos. Trata de «la realidad humana de los presos vascos», su padecimiento carcelario tras haberse arriesgado por sus ideales mientras los demás vivían tranquilos y ahorrando. Ahora que ETA ha renunciado a la violencia... ¿vamos a darles la espalda?

Hoy salen a la calle manifestantes en Bilbao y Bayona para protestar por el alejamiento de los presos vascos y la política penitenciaria vengativa (?) que se les aplica. Así se mantiene la confrontación y se impide cerrar las heridas y llegar a la reconciliación. De los delitos cometidos no dicen nada, pero aclaran que su propósito es defender «por encima de las ideologías, los derechos humanos»... de los presos, claro. No quieren ser cómplices de quienes los violan. ¡Qué casualidad! Tan noble disposición es sin duda la misma que movió a los jueces a condenar a esos delincuentes. Y la misma también en cuyo nombre se les mantiene cumpliendo su pena, pese a desfiles reivindicativos como los de hoy. Por encima de las palabras melifluas, se trata de evitar la complicidad con el crimen organizado.

Col tempo...

Esta columna fue publicada hace cinco años y las cosas en el País Vasco no han cambiado salvo para peor. Los documentales de Iñaki Arteta, que deberían ser la base de cualquier enseñanza sobre el pasado inmediato que se quisiera dar a los bachilleres vascos, siguen fuera no solo de los planes de estudio sino también de EITB. Los presos etarras han sido trasladados en su mayoría a cárceles próximas al País Vasco como pago al apoyo que EH Bildu, el partido que gestiona los ideales políticos de ETA, ofrece al actual Gobierno socio-comunista de España. Están a la espera de ser trasladados todos a establecimientos de Euskadi y, de ahí, enviados a sus casas discretamente por una administración carcelaria en manos del ejecutivo vasco. Véase al respecto lo ocurrido en Cataluña con los condenados por el *procés*, indulto incluido. Cuando uno de ellos sale de la cárcel por haber cumplido su condena, es recibido por un *ongi etorri* entusiasta de familiares, amigos, partidarios y vecinos en general de su localidad. Es probable que el exrecluso, algo domesticado por el tiempo pasado entre rejas y los años de inactividad, no tenga ya mayor deseo de reincidir en sus fechorías de antaño, aunque se deja querer. Pero está claro que los más jóvenes, niños incluso, de los que asisten a esos homenajes quedarán convencidos de que esos asesinos jubilados fueron héroes, de que su lucha estuvo justificada y fue altruista, de que imitarlos al menos en su ideología radical separatista es lo más digno para cualquier joven euskaldún. En esa celebración simbólica del delito y la agresión a los conciudadanos que no piensan del modo «debido» según los totalitarios vivimos en el País Vasco, somos informados por los medios públicos locales y sabemos que se orienta la educación en muchos centros escolares. ¿Hasta cuándo? No me atrevo a pronosticarlo, pero es evidente que va para largo. Dedico esta nota a la memoria de mi querido amigo Mikel Azurmendi, un español vasco que luchó sin miedo en cuerpo y alma por la verdadera libertad.

El freno

16 de enero de 2016

Para empezar, las autoridades deben negarse a tratar como colegas traviesos a quienes sabotean nuestra democracia.

No sé conducir (ni conducirme, dicen algunos). Pero sueño que voy al volante, con un instructor severo a mi lado. Ganamos velocidad peligrosamente, en una carretera que desciende haciendo curvas cerradas entre precipicios. Así que decido frenar. Al ir a pisar un pedal, el instructor dice que está bloqueado y no funciona. Los otros no harán más que acelerar la marcha, me advierte. Busco una palanca en la caja de cambios, un botón salvador en el salpicadero, pero mi guía me los desaconseja uno tras otro. Finalmente revela, con mueca afligida, que el coche no tiene frenos ni nunca los tuvo, que no queda más remedio que aguardar al batacazo inevitable o saltar en marcha. Entonces me despierto. Porque aunque no sé conducir, estoy seguro de que no se hacen coches sin frenos.

Ni tampoco constituciones. Ahora que tras múltiples avisos minimizados o desatendidos es evidente que en Cataluña un pintoresco grupo de forajidos pretende saquear la ciudadanía de sus compatriotas (eso sí, dentro de la legalidad... de la que se burlan desde hace un lustro), los menos adormilados preguntan por el freno constitucional a estos manejos. Aparecen expertos en desconfiar: el artículo 155 no puede aplicarse porque tal y cual, no es sedición porque falta el elemento tumultuario, el Tribunal Constitucional no debe imponer sino dialogar, etcétera. Puede que tengan razón, pero que no traten de convencernos de que no hay freno, de que hay que asumir lo que venga o bombardear Barcelona. Porque toda Constitución incluye freno de mano ejecutivo contra rufianes, nunca mejor dicho. Para empezar, las autoridades deben negarse a tratar como colegas traviesos a quienes sabotean nuestra democracia: lo que ha hecho bien el Rey, pero lo contrario del jijí-jajá en el Parlament del ministro del Interior y su adjunto militar.

Col tempo...

Esta columna fue escrita hace más de cinco años, cuando comenzaba a verse la fatal pendiente a la que corría Cataluña... y el resto del país. Yo reclamaba en ella un freno constitucional que debía sin duda haberse aplicado entonces y no más tarde, cuando la situación se hubo agravado mucho más. Siguiendo con la metáfora/sueño del automóvil descontrolado, cuanto más se retrase por dudas o temores la aplicación de la solución de emergencia, más velocidad habrá adquirido el vehículo y, por tanto, más difícil será pararlo. Incluso el remedio menos deseable, hacerlo chocar voluntariamente sacándole de la carretera donde pueda sufrir menor daño, se convertirá en catastrófico si el auto ya va como un bólido por la velocidad adquirida. No soy un experto en constitucionalismo —ni en nada, aunque se me dan bien las carreras de caballos— y por eso no voy a elucubrar ahora sobre el freno constitucional que debía haberse aplicado en ese momento inicial; solo me reitero en lo dicho en la columna: seguro que lo hay, es cosa de buscarlo. La izquierda lerda (representada por politólogos, catedráticos y demás gente ilustre) está preocupada en resolver cuanto antes el problema «territorial» porque es un asunto que favorece a la derecha, entiéndase «la extrema derecha» (para ellos no hay otra). Claro que lo único que se les ocurre es apoyar a los separatistas menos agresivos, los que quizá se conformen con una independencia *de facto*, aunque no se proclame aún *de iure*. Pero lo malo es que lo que está en la palestra no es ningún problema «territorial», como dicen quienes no ven o no quieren ver más allá de sus narices, sino una cuestión de ciudadanía constitucional. O los ciudadanos somos todos libres e iguales en cualquier lugar de nuestro país, como determina inequívocamente la Constitución, o somos solamente ciudadanos de alcance restringido, con derechos sometidos a nuestro lugar de nacimiento o empadronamiento y la misma libertad que los siervos de la gleba, que eran vendidos por sus señores con la tierra que trabajaban. Es eso lo que está en juego y no otra cosa. Y no se puede compadrear con quienes amenazan directamente nuestros derechos y libertades, por muchas banderas caprichosas que agiten y por muchos refrendos históricos que inventen. Los enemigos descarados de la Constitución son nuestros enemigos políticos y como tales, sintiéndolo mucho, hay que tratarlos.

Pavese

13 de febrero de 2016

El auténtico suicida decide primero matarse y luego busca algún pretexto para darse valor.

Hace un par de meses supe que también Enrique Vila-Matas estaba leyendo *El oficio de vivir* de Cesare Pavese. Yo me lo volví a comprar este septiembre en Turín, la abrumadora edición anotada de Einaudi, y desde entonces me ha acompañado el desasosiego de su latido crudamente cercano, sin alharacas, que descubrí a los ventipocos años. Comencé a releerlo frente al hotel Roma de Turín, en la plaza de la estación, donde se suicidó. Allí dejó su último verso: «Vendrá la muerte y tendrá tus ojos». Hay quien se mata cuando pierde a un ser querido, o la salud, o el dinero. Pero el auténtico suicida decide primero matarse y luego busca algún pretexto para darse valor: para él, la pérdida es la vida misma.

Se preguntaba Vila-Matas si habrá jóvenes hoy en España que lean el diario de Pavese como lo leímos nosotros. El pesimismo cultural reinante hace dudar de ello, el cambio de circunstancias y enredos históricos... Sobre todo, su tono de radical frustración erótica resulta ahora escandaloso. Le vuelve ferozmente misógino su protesta por no poder satisfacer a la mujer como y donde él cree que ella desea, una impotencia fisiológica que convierte en fracaso ontológico, la «astilla en la carne» de la que habló Kierkegaard. Supongo que para los menos sutiles incluso merecerá la lacra de «machismo», ese saco del ogro donde caben juntos la alimaña que arroja un bebé por la ventana después de apalear a su mujer y el anciano que mata a la compañera de su vida con alzhéimer porque teme no poder ya cuidarla, para luego suicidarse. Brocha gorda, no pincel fino. El varón Pavese quedará incomprendido: «No se mata uno por amor de una mujer. Uno se mata porque un amor, cualquier amor, revela nuestra desnudez, miseria, desprotección, nada».

Col tempo...

Para Albert Camus, el suicidio era el gran problema metafísico. Pero quizá Camus quería decir que el verdadero problema es por qué no suicidarse, cuando estamos convencidos de que la vida es absurda (es decir, que no ha sido inventada para que se cumplan nuestros propósitos). Ahora, a raíz del covid, se ha comenzado a hablar mucho de los problemas de la salud mental y del suicidio como su expresión más aguda. Desde luego, no estoy seguro de que los suicidas tomen su decisión a causa de un trastorno mental: bien puede ser que los que no estamos bien de la cabeza somos los que seguimos viviendo a pesar de todo lo que ya sabemos de la vida. Lo de preocuparse por la enfermedad mental y despojarla de su frecuente estigma de ser algo vergonzoso o maligno (lo cual me parece muy bien) es una iniciativa del área parlamentaria podemita, decididos a preparar una nueva normativa legal sobre el asunto insistiendo en las causas sociales, laborales y hasta políticas de los trastornos psíquicos. *O sancta simplicitas!* No basta sanear la sociedad y la vida en común, tarea recomendable por otras razones, para curar las mentes de los humanos; si lo dudan, relean *Un mundo feliz* de Aldous Huxley. La psique, esa mariposa de los antiguos griegos, genera a veces tormentos como las abejas fabrican miel. Y no tienen nada que ver con nuestros conflictos y carencias sociales. Yo he tenido la reveladora desgracia de conocer de cerca varios de esos casos, que tampoco me atrevería a reducir a meras causas fisiológicas. Si quieren más noticias sobre este asunto, lean *El oficio de vivir* de Cesare Pavese.

Criatura

19 de marzo de 2016

Frankenstein nos hace temblar, aunque luego sentimos irresistible simpatía y hasta cariño por él.

El volcán Tambora convirtió en invierno los meses del verano de 1816. El poeta Percy B. Shelley acudió con Mary Godwin, su nueva compañera, a casa de lord Byron en Villa Diodati, junto al lago de Ginebra. Acompañados por William Polidori, médico personal de *milord*, pasaron las noches heladas junto a la chimenea leyendo cuentos alemanes de fantasmas. Luego decidieron competir a ver quién escribía la historia más terrorífica. Byron esbozó un fragmento, protagonizado por un vampiro (más tarde Polidori recogió el tema y patentó a lord Ruthven, abominable progenitor de Drácula y de todos los demás), y Shelley perdió el tiempo en borradores. La dulce e inteligente Mary escribió *Frankenstein o el moderno Prometeo*: primer premio, sin discusión.

El verdadero protagonista de la novela no es el doctor así llamado, sino su criatura anónima, a la que ya todos conocemos por su apellido lo mismo que es un Ford cada auto fabricado por el industrial Henry. La criatura es un monstruo capaz de explicarse a sí mismo: «Soy malo porque soy desgraciado». El director James Whale, el actor Boris Karloff y el maquillador

Jack Pierce acuñaron su imagen definitiva, un gigante de paso incierto y fuerza incontrolable, acosado por la muchedumbre asustada. Hecho de trozos de cadáveres, como cualquiera de nosotros (Shakespeare dijo que estamos «tejidos con la materia de los sueños», pero el sentido es el mismo), Frankenstein nos hace temblar, aunque luego sentimos irresistible simpatía y hasta cariño por él. Tras la apariencia más distinta espera el semejante, conjurado por la palabra *amigo*. La vida de Mary Shelley, libros, activismo femenino y amores (uno fue Próspero Mérimée), acabó a los cincuenta y tres años por un tumor cerebral. La misma dolencia que mató dos siglos después a su mejor lectora. Ayer hizo un año.

Col tempo...

Mi Sara murió el 18 de marzo de 2015. De ella y de su larga agonía (junto a la mía, que le acompañaba) he hablado en *La peor parte*, mi último libro. Pero también le he dedicado cada año una columna en la fecha de su aniversario. Esta es la primera de ellas, las siguientes son más íntimas y personales. Fue una entusiasta de la literatura y el cine de terror fantástico (más aún del cine, creo yo) que encuentran en la criatura de Frankenstein su emblema más hondo y conmovedor. En una entrevista, Guillermo del Toro dijo que hay que ser muy mala persona para que no te gusten las figuras *stop motion* del cine de Ray Harryhausen. Comparto, desde luego, esta opinión, pero la amplío, porque mucho peor y más obtusa persona hay que ser para que no sientas una aterrada simpatía por la criatura de Frankenstein. Sara no era ninguna de esas cosas descalificadoras, no he conocido persona más buena y más inteligente, por ello la desventurada criatura del doctor Frankenstein que nos remeda de un modo espantoso pero tanto se nos parece fue siempre el compañero de juegos y batallas que prefirió.

Desfachatez

7 de mayo de 2016

Hay quienes teniendo la ocasión histórica de enfrentarse a un totalitarismo criminal prefirieron encogerse de hombros.

Estamos hartos de oír a gente que se proclama progresista pero que jamás se ha comprometido a nada más audaz que la curda de fin de año. O que al mostrar sus simpatías cree que quien mejor representa el progreso es el gravoso estegosauro y no el pequeño pero tenaz roedor. Supongo que cada cual tiene su prueba del algodón, que no engaña, para distinguir los auténticos quilates de la bisutería. La mía es la actitud ante el largo calvario del terrorismo vasco y sus secuelas. Quienes teniendo la ocasión histórica de enfrentarse a un totalitarismo criminal prefirieron verlas venir, suspirar encogiéndose de hombros que «entre unos y otros...» o decir que esas cosas se arreglan con voluntad de diálogo, tienen de progresistas lo que yo de arzobispo. Por no hablar de los que sostuvieron que la culpa era de los españolistas partidarios del bulo de la transición democrática o los que simpatizaban con los *abertzales* porque al menos eran «de izquierdas». Y también los que desaprobaban cualquier tipo de violencia, como si no hubiera más que una y a ti te encontré en la calle...

Con buena voluntad (o sea, tomándole por tonto) podría aceptar que Pablo Iglesias creyese que Otegi es hoy un hombre de paz si antes le hubiésemos visto en las manifestaciones antiterroristas, en lugar de colegueando en las *herriko* tabernas. Pero no fue así: tan políticos como eran él y los suyos desde pequeñitos, por tradición familiar, nunca encontraron momento para comprometerse en la denuncia activa de ETA. No estuvieron entonces contra el terrorismo, sino ahora a favor de dejar de utilizarlo porque ya no hace falta. A la vista está, colgado en la memoria de las redes. Y millones de ciudadanos les votan y se consideran progresistas...

Col tempo...

En todas las épocas hay quienes «ponen sus butacas en la dirección de la historia», según la certera expresión de Albert Camus, y reclaman pasar por «progresistas» ante sus rezagados contemporáneos. Indudables asesinos y certificados traidores han mantenido discursos de pulquérrima pureza emancipatoria, que han deslumbrado a muchos. Aunque suene raro, abundan los que se creen la descripción ideal que hace el vendedor y le compran con entusiasmo el coche usado ideológico sin tomar las precauciones de verificación de las que no prescindirían si se tratase de un vehículo a motor de segunda mano. Si uno repasa los proyectos legales de Hitler cuando llegó a la cancillería, cuyas primeras leyes tuvieron objetivos tan ecologistas como la protección de la Madre Tierra o el bienestar de los animales, o lee los principios casi libertarios de la constitución de la URSS en sus inicios, o las vibrantes proclamas del ideario de Falange Española, y se cree a pies juntillas esas normas modélicas, no comprenderá cómo los grupos políticos que respaldaron esos buenos propósitos acabaron en tan malas prácticas. Pero es que no bastan esas manifestaciones benévolas para aceptar a sus promotores. Esta boba credulidad en la palabrería biensonante ha beneficiado sobre todo a la izquierda, al menos en la actualidad. Hay que repetir que hoy en día, en España, se valora a la izquierda por sus mejores intenciones y se condena a la derecha por sus peores resultados. Pero siempre, en cada época, hay alguna cita histórica que sirve para verificar la autenticidad política. Algunos hemos pasado el suficiente tiempo en Hispanoamérica como para saber lo que contienen realmente los socialismos bolivarianos que han vendido los cursis y tramposos ideólogos de Podemos desde el primer día. Ese populismo no es más que la democracia de los ignorantes, es decir, la forma de perder poco a poco los verdaderos contenidos democráticos para sustituirlos por exhibicionismo demagógico. Pero además está el terrorismo etarra y su continuado ataque al proceso de transición democrática y más allá. Han sobrado ocasiones para que todos los grupos políticos se manifestaran contra un separatismo violento que fue en todos los sentidos la manifestación más reaccionaria de la España posfranquista. Hay testimonios inequívocos de que Pablo Iglesias y otros fantoches de Podemos no solo nunca asistieron a las convocatorias de repulsa y resistencia a ETA, sino que se reunieron con simpatía de «colegas revolucionarios» con sus cómplices políticos de Batasuna-Bildu. ¿Progresistas esos elementos? Ni ellos ni los bobos que les votaron abundantemente, qué le vamos a hacer.

La mano

21 de mayo de 2016

No voy a comentarles el libro de Iturralde, que les recomiendo, pero evocaré un recuerdo personal de Paulino Uzcudun.

En *Golpes de gracia*, Joxemari Iturralde cuenta de forma novelada la vida contrapuesta de los boxeadores vascos Paulino Uzcudun e Isidoro Gaztañaga, antiguos *aizkolaris* que dejaron el hacha y los troncos para convertirse en celebridades del *ring*, no por la finura de su esgrima, sino por su imperturbable fuerza bruta. Sus trayectorias de puñetazos, borracheras y mujeres acabaron enfrentadas. Gaztañaga murió en una refriega en Argentina, Uzcudun se apuntó al bando victorioso en la Guerra Civil y llegó a ser una de las glorias deportivas del franquismo, algo así (aunque en más rústico) como Max Schmeling entre los nazis. Murió a los ochenta y seis años, convertido en el tópico «juguete roto».

No voy a comentarles el libro de Iturralde, que les recomiendo, pero evocaré un recuerdo personal de Paulino Uzcudun. Cuando ya era muy viejo, solía coincidir con él en el autobús que tomaba para ir a la universidad. Paulino estaba allí cuando yo subía, sentado con su cachaba entre las piernas y la *txapela* en la cabeza desguarnecida. Casi nadie le reconocía, su leyenda era cosa remota. Un día montó una niña de ocho o nueve años, con su carterita de colegiala (no se estilaban las mochilas), deliciosa y formal, quizá orgullosa de volver ya sola a casa. Se agarró a la barra vertical junto al asiento del viejo, pero entre los acelerones del vehículo y el peso de la cartera le costaba mantener el equilibrio. Un par de veces pareció que iba a caerse. Entonces Uzcudun cubrió con su manaza la manita de la niña en la barra, sujetándola de modo que ya no había peligro. La rescatada le sonrió alegremente, sin asustarse del ogro demolido. Ese gesto, ese puño convertido en mano protectora, la redención de la fiera...

Col tempo...

Hubo un tiempo, todavía reciente, en que los héroes del boxeo eran personajes casi míticos en una sociedad menos escrupulosa que la nuestra con sus leyendas. Probablemente fue Cassius Clay el último de esos campeones que se ganó la admiración del público (incluso de los no aficionados al boxeo) no solo por su contundente destreza en el *ring*, sino también por un compromiso antiimperialista (siendo el imperio el yanqui, claro) y por su conversión a una religión tan escasamente pacífica como el islam. El anterior en ese mismo podio de méritos fue Joe Louis, en cuya época era mucho más difícil destacar siendo negro que en la de Cassius Clay. Entre los afroamericanos se convirtió en una figura redentora, casi milagrosa: Joyce Carol Oates cuenta que un negro condenado a la última pena ya en el corredor de la muerte rezaba cada noche: «¡Joe Louis, sálvame!». En el primer combate que le enfrentó al campeón alemán Max Schmeling, Joe Louis perdió por puntos. Entonces Schmeling, propagandista del régimen nazi, vociferó que ese resultado demostraba la superioridad de la raza aria. En el combate de vuelta Joe Louis trituró a Schmeling: cuando los periodistas le preguntaron si esa victoria le hacía sentirse orgulloso de su raza, repuso: «Sí, de la raza humana». El boxeador cuya trayectoria he seguido más de cerca fue Urtain, porque su gimnasio estaba en lo más alto del hotel Orly, frente a mi casa en San Sebastián. Le conocí desde antes que empezara su serie de victorias fulminantes, conseguidas más por su pegada bestial (y quizá por arreglos poco limpios entre bambalinas) que por habilidades pugilísticas. Nunca he estado en un combate de boxeo en mi vida, pero a mis veinte años Urtain era como de casa, el primo de Zumosol de los donostiarras, y anhelaba verlo campeón de Europa del peso pesado como si me fuera algo en ello. Entonces hacía los meses de instrucción de la mili en Alcalá de Henares y recuerdo bien aquella noche en la compañía, con el transistor muy bajito pegado a la oreja en la almohada, mientras en Londres se enfrentaba nuestro Urtain contra Henry Cooper, el primer boxeador serio de su vida, un campeón inglés que se las había tenido seriamente contra Cassius Clay. Naturalmente, Cooper le dio una lección de boxeo y a mí se me saltaron las lágrimas en aquella sala oscura llena de toses y pedos por el ídolo caído de Cestona.

Perdices

28 de mayo de 2016

Marco Pannella no era revolucionario, lo que en democracia es un retroceso y no un avance, sino un agitador formidable.

Solo he sido miembro de dos partidos políticos en mi vida y el primero fue el Radical de Marco Pannella. Me gustaba porque era transnacional, o sea, plenamente europeo, y porque era el único que llevaba en su programa la despenalización de las llamadas «drogas», oponiéndose a esa dañina fantasía inquisitorial que tanto daño ha causado a personas y países enteros (México es hoy triste ejemplo de ello). Entre los radicales conocí a gente tan estupenda como mi amiga Emma Bonino, audaz e inteligente, con quien compartí algunas iniciativas... y retrocedí ante otras. Una vez, cuando la población de Sarajevo vivía acosada por los francotiradores, Emma me propuso que fuésemos allí el día de Navidad para interponernos pacíficamente entre el fuego de ambos bandos. Comenté prudentemente que no me parecía el mejor modo de festejar fechas tan entrañables y ella me advirtió: «Piensa que la alternativa es pasarlas en familia»...

Marco Pannella no era revolucionario, lo que en democracia es un retroceso y no un avance, sino un agitador formidable; tenía ideas apasionadamente prácticas pero carecía de odio social: lo contrario de lo que ahora se lleva. Algunos lo tenían por insensato pero nadie dudó de su honradez. Vino a Madrid a conocerme y fuimos a un restaurante cerca de casa. El dueño, cazador entusiasta, nos propuso unas perdices cobradas por él mismo. Marco me miró severo, porque acababa de impulsar un referéndum en Italia —¡otro más de los suyos!— para prohibir la caza. Yo estaba confuso, el dueño insistía. De pronto, Marco alivió el ceño y me lanzó su mágica sonrisa. «Bueno, las perdices ya están muertas, ¿verdad? De modo que más vale comérnoslas». Y después, tan felices, nos comimos sin remordimiento las perdices. *Ciao*, Marco, contagioso campeón del activismo ciudadano inconformista.

Col tempo...

Escribí esta columna con motivo de la muerte de Marco Pannella, un político por el que tuve (tengo) mucho aprecio y admiración. Siempre estuvo dispuesto a ofrecer alternativas legales a los aspectos a su juicio más indeseables de lo establecido, pero sin pretender derribar el sistema ni prometer paraísos inéditos. Fue un rebelde conservador, permanentemente inquieto pero sin la mínima simpatía por quienes promueven actos violentos y creen que sin quemar contenedores no se puede salir de reaccionario. Me gustaría mucho recuperar para España y para toda Europa un partido como fue el radical de Pannella y Emma Bonino, siempre dispuesto a cuestionar aspectos concretos de lo real sin pretender destruir el conjunto. Y apelando constantemente a consultar a la ciudadanía: cada mes se le ocurrían dos o tres referéndums que movilizaban e implicaban a la gente. Con los radicales cambió la forma de ver muchos asuntos tenidos por inamovibles (fueron los primeros que abogaron razonadamente por la despenalización de las drogas, la sensatísima causa por la que yo me apunté al partido), pero, sobre todo, la vida pública se hizo bastante más entretenida, sin necesidad de insultos ni amenazas. Por supuesto, era difícil estar siempre de acuerdo con ellos y a veces Marco pecaba de cierto narcisismo carismático; con todo, creo que el balance de su vida pública y el de su partido es positivo. Si lo comparamos con las circunstancias políticas actuales en España y en Europa, abrumadoramente positivo.

Aun así

25 de junio de 2016

Y luego nos escandalizamos de los hooligans, *esos mártires brutales de la inteligencia emocional...*

Les recuerdo una escena de *Macbeth:* Macduff prepara el asalto definitivo al castillo del tirano y necesita el apoyo de Malcolm, hijo del rey asesinado por Macbeth, así que le propone el trono cuando derroquen al usurpador. Malcolm quiere saber cuánto hay de noble afán o de mero oportunismo en esta propuesta: advierte a Macduff que él está tan lleno de defectos como Macbeth, porque es sumamente ambicioso, injusto, ávido de riquezas, violento, incapaz de contener su feroz lujuria... Macduff, al que le interesa ante todo vengar la muerte de su hijo, va minimizando los pecados que se atribuye falsamente el joven príncipe, dispuesto a aceptarle cualquier vicio a fin de contar con ese imprescindible aliado. Una excelente muestra de la penetración política de Shakespeare. Finalmente, Malcolm descubre la superchería y acepta acompañar a Macduff, pero queda la duda de que quizá el resultado habría sido igual si todas sus autoacusaciones hubiesen sido ciertas. Lo importante era la venganza y recobrar el trono.

Donald Trump ha llegado a decir que él podría salir a la calle, disparar contra un transeúnte y la gente le votaría igual.

Probablemente, ay, no se equivoca. Los partidarios del Brexit han seguido a un xenófobo caricaturesco como Farage, desoyendo sin inmutarse las más solventes advertencias sobre los perjuicios que traerá el abandono de la UE. En España, candidatos que veneran los regímenes menos recomendables mienten sin sonrojo en los debates, amparan la corrupción, desconocen la igualdad de los ciudadanos o prometen medidas tan democráticas como ordenar a jueces y guardias civiles que detengan a sus opositores, ni aun así ven disminuir sus apoyos electorales. ¡Son los nuestros, arrearán al enemigo! Y luego nos escandalizamos de los *hooligans*, esos mártires brutales de la inteligencia emocional...

Col tempo...

La suposición de que los seres humanos nos regimos habitualmente por la razón utilitaria y seguimos nuestro interés propio a despecho y frecuente detrimento del ajeno es una visión demasiado optimista, a pesar de que algunos la consideran la cumbre del cínico desencanto. Si todos fuésemos egoístas racionales, la humanidad estaría salvada. Pero lamentablemente no es así. Mucho más que buscar nuestro provecho, preferimos conseguir el daño ajeno. Los medievales, al estudiar la libido, es decir, nuestro afán concupiscente, la dividían en tres ramas principales: el afán de poseer, el afán de dominar y el afán de sentir (placer). Nada sobra en este sagaz planteamiento, pero falta algo, una cuarta libido tan potente y patente como las otras tres: el afán de *castigar*. Los votantes de Donald Trump difícilmente creerán que su presidencia va a traerles grandes beneficios, pero sin duda esperan que sea el azote de los intelectuales neoyorquinos, feministas, negros alborotadores, socialistas a la europea (¡Obama!) y políticos manipuladores de Washington. Los partidarios del Brexit puede que piensen sacar un improbable beneficio de su salida de Europa, pero principalmente aspiran a castigar a los que desprecian como paletos y atrasados a quienes prefieren vivir como sus abuelos (o como ellos creen que vivían sus abuelos) en lugar de como franceses o belgas. Por supuesto, los más de cuatro millones de personas que en sus comienzos votaron a Podemos veían en ellos a vengadores del agravio de la corrupción, a perseguidores de los ricos (a los que envidiaban), a un tipo de políticos que aunque perjudicasen sus intereses inmediatos los harían sentirse del lado de los ángeles exterminadores. Lo importante no es *ser* bueno, que vaya usted a saber en qué consiste, sino *sentirse* bueno, si es posible, sin pagar una factura demasiado alta. Un padre de la Iglesia del siglo II d. C. que tenía el muy moderno y apropiado nombre de Tertuliano consideraba que gran parte del gozo celestial de los santos consistía en ver desde las paradisiacas alturas a los condenados retorcerse en las llamas del Infierno. Puede que Tertuliano no fuese demasiado caritativo, pero sin duda era buen psicólogo...

Mea culpa

9 de julio de 2016

Cada voto contrario al recto civismo llevaría incorporado su propio castigo.

¡Quién pillase los veinticinco años para volver a sanfermines! Sobre todo ahora que los toros están semiproscritos y se disfrutan más. Este año el Ayuntamiento pamplonica ha decidido poner coto a la incívica costumbre (la supongo de origen anglosajón por su parecido simbólico con el Brexit; o quizá la importaron Hemingway y su cuadrilla) de orinar en la vía pública, en cualquier rincón o quicio propicio. Para ello se empleará un repelente de orina que se aplica sobre los frontones a salvaguardar y actúa en los poros del sustrato mineral, impidiendo que la fachada se impregne y haciendo rebotar el líquido culpable sobre los pantalones o el calzado de quien micciona. ¡Justicia poética, el meador meado!

Meditando sobre este prodigioso invento, digno del profesor Franz de Copenhague, se me ocurre que sería utilísimo algo parecido —un repelente de voto— para aplicar en los comicios democráticos, de modo que la responsabilidad de cada papeleta recayese solo sobre quien la emite, sin manchar al resto. Nos aliviaría del miedo a los conciudadanos, haciendo además superfluos los arrepentimientos tardíos y la búsqueda de culpables de los resultados, sea por falta de ética o de raciocinio. Cada voto contrario al recto civismo llevaría incorporado su propio castigo, pero dejaría incólumes las instituciones principales que todos necesitamos y compartimos. La única dificultad al preparar el ungüento justiciero estribará en determinar qué es cívico y qué no lo es, dónde el votante muestra ética y dónde perfidia. Habría que nombrar un comité para establecerlo y ya sabemos que los comités suelen diseñar los caballos con jorobas... Merece la pena intentarlo. Entretanto, aplícate el cuento, hipócrita elector, mi semejante y hermano: *mea culpa* o *mea disculpa*, lo que sea, pero a mí no me apuntes, porfa.

Col tempo...

Lo primero que siento al releer esta nota es aún más nostalgia de los sanfermines que cuando la escribí (fíjense que los momentos felices del año llevan plural aunque no lo necesiten: sanfermines, navidades, vacaciones... Queremos multiplicarlos al menos en su invocación). Cuando por culpa de la pandemia perdimos todas las fiestas colectivas, o sea, las fiestas *tout court*, porque solo es fiesta lo que nos agrupa gratamente con muchos otros, hubo bastantes de esas citas que no eché de menos más que como referencias en el calendario (la borrada Semana Grande donostiarra o bilbaína, sin toros, ni *txoznas*, ni verbenas, hicieron pasar agosto sin pena ni gloria). Pero con los sanfermines sentí algo así como una pérdida más íntima, más trascendente, ¡aunque me limito a ver los encierros por televisión! Cada uno elige su propio pesebre para que nazca anualmente el dios liberador... Por lo demás, sigo creyendo que el repelente de votos sería un excelente invento político, como tantos otros imposibles. Alguna vez, sin excesiva originalidad, he definido la democracia como el régimen en que la culpa de lo que ocurre la tienen siempre los políticos, es decir, los ciudadanos. ¡Con qué frescura y desvergüenza los culpables de haber elegido a los malos gobernantes se indignan luego contra ellos, rechazan cualquier responsabilidad en el desaguisado y se presentan como víctimas de la plaga que su mentecatez ha traído a toda la comunidad! Nunca repetiré ese odioso apotegma, que tanto oí durante la dictadura franquista, de que los pueblos tienen los gobiernos que se merecen. No. Hay gobiernos detestables (mientras escribo estas líneas España tiene uno de ellos, fingidamente socialista por más señas) que ningún país como tal se merece en su conjunto... pero que no todos los ciudadanos son igualmente responsables de haber elevado al poder. Sería una forma al menos de justicia poética que a ellos les tocara más ración del pastel de mierda que con tanto entusiasmo han contribuido a hornear...

Consejos

29 de octubre de 2016

Raoul Frary ya recomendó en el siglo XIX *cómo halagar al pueblo.*

El panfleto fue tradicionalmente arma demagógica: una caricatura concisa y virulenta que denuncia a alguien o algo. Tuvo cultivadores ilustres, como Cicerón, Erasmo, Jonathan Swift o Karl Marx, y también otros anónimos y barriobajeros. Hoy el género apenas se cultiva porque resulta demasiado extenso: para el castigo o la calumnia, basta un tuit. En 1884, época dorada del panfletismo, el periodista y profesor francés Raoul Frary volvió el arma contra la demagogia misma y escribió *Manual del demagogo* (Editorial Sequitur), con los consejos de un resabiado político a un aspirante a demagogo, o sea, a guiar a los demás tirando del ronzal y obteniendo para sí mismo los mejores beneficios.

Recordará que su papel no es en absoluto nuevo. Antes, los cortesanos adulaban a los príncipes esperando obtener su generosa privanza; hoy, se debe ensalzar al pueblo soberano y elogiar sus caprichos, incluso sus vicios. «¿Qué hace falta para ganar el favor del pueblo y apoderarse de la dirección de las mentes? Principios claros que uno no se tomará el trabajo de verificar, siempre que estén de moda, razonamientos fáciles de seguir; actitudes y frases». Se insistirá en que los problemas más arduos no escapan a la penetración de los ignorantes y que el saber es la menor virtud del gobernante. Nada de pretender ilustrar ni menos desengañar a nadie: «El hombre que abre un periódico, el ciudadano que toma parte en un mitin no pide más que una cosa: que se le hagan llegar nuevos motivos para complacerse en su propia opinión». Que apele pues al buen sentido, infalible e intolerante porque es la suma de nuestros prejuicios. Esta obrita, bien traducida y prologada por Miguel Catalán, es breve: se lee en menos tiempo del que tardan quienes no la han leído en rodear el Congreso.

COL TEMPO...

Como bien señaló Borges, muchos disfrutamos con las paradojas de Oscar Wilde, pero pocos advierten que lo más paradójico de sus paradojas es que suele llevar razón. Por ejemplo, en esta breve lección de política: «Hay tres tipos de déspota. Tenemos el déspota que tiraniza el cuerpo. Luego viene aquel otro que tiraniza el alma. Y por fin está el déspota que tiraniza el cuerpo y el alma al mismo tiempo. Al primero se le llama Príncipe. Al segundo se le llama Papa. Al tercero se le llama Pueblo». Hoy, los príncipes (especialmente militares) y los papas que tanto han tiranizado cuerpos y almas en España están notablemente devaluados y solo suelen aparecer en la palestra pública para ser denigrados. En cambio, el tercer y más completo tirano, el Pueblo, goza de un dominio y una veneración extraordinarios, no solo en España, pero desde luego especialmente aquí. Se maldice al Príncipe y se burlan del Papa, pero nadie blasfema contra el Pueblo. Naturalmente, el Pueblo tiene muchas voces que lo representan y, hoy en día, más medios que nunca para hacerse oír. Digamos que el Pueblo es un invento de una élite que arrastra a los demás por donde quiere pero haciéndoles creer que van por su decisión soberana. El primer paso para que se afilien al

Pueblo todos los que son incapaces de pensar por sí mismos es declarar que el Pueblo es inocente: siempre engañado o traicionado, pero nunca culpable. El mal no entra en el Pueblo, lo mismo que el agua no permea los metales: está siempre rodeado de vileza, pero esta permanece exterior a él. La misión de la propaganda (y a veces de la información, no siempre discernible de aquella) es, como bien señaló Raoul Frary, decirle al Pueblo lo que más le satisface oír para congraciarse con la mayoría y que obedezca mejor. Tomemos un ejemplo trivial, aunque los hay dramáticos y hasta trágicos. Algunos políticos de izquierdas atacan a la fiesta de los toros como un modo de zapar los valores estéticos tradicionales, y por ello ligados, en su opinión, a la derecha. El Pueblo debe rechazar las corridas como formas de tortura y exhibiciones de crueldad. A los taurinos hay que inventarles rasgos que los enfrenten al Pueblo: señoritismo, pensamiento rancio, etc. La alcaldesa socialista de Gijón ha decidido no renovar el contrato de la plaza de toros (que es municipal) para eventos taurinos (o sea, para lo que se construyó) porque en la última corrida de la feria de Begoña se lidiaron dos toros de nombre Feminista y Nigeriano: ¡los toreros atacan lo más sagrado, el feminismo, y además son racistas! Es tiempo perdido explicar a la buena señora que los toros heredan sus nombres por vía genealógica desde que nacen y con intención identificadora, no como consignas políticas (los aficionados hemos visto morir en la plaza a toros llamados Español, Legionario, Cardenal, Comunista... sin escándalo de nadie). De modo que la alcaldesa ha decidido que se acabaron los toros en Gijón, no solo para quienes los detestan, sino también por los aficionados a ellos con todo derecho. Y hoy leo en *El País* una columna de una tal Eva Güimil titulada «"Feminista", "Nigeriano"; va por ustedes» donde acumula en trescientas palabras todos los tópicos antitaurinos populistas para que no se desparramen. Así se construye el Pueblo que no existe y se desautoriza a los ciudadanos realmente existentes... y sus derechos.

Don Pío

26 de noviembre de 2016

La vida del barojófilo está llena de momentos en los que toca Baroja, sí o sí.

Podríamos decir que el 60° aniversario de la muerte de Pío Baroja da un buen pretexto para releerlo. Pero es innecesario, porque los lectores de Baroja —un gremio más amplio de lo que se cree y lleno de gruñones, como corresponde— no dejamos nunca de leerle. Por dos razones: Baroja escribió afortunadamente mucho, de modo que siempre nos queda algo nuevo por descubrir de él. Nunca ha leído uno «todo lo de» Baroja. Pero, además, la vida del barojófilo está llena de momentos en los que toca Baroja, sí o sí. Al comienzo de *Moby Dick*, Ismael dice que de tanto en cuanto siente cierta desazón especial que le indica que debe embarcarse de nuevo. Pues nosotros resolvemos parecida inquietud volviendo a Baroja.

Fue un narrador insuperable en su concisión, antirretórica y velocidad, pero también un pensador. A su modo, claro, porque sus verdades universales suelen basarse en el dictamen inapelable de su parecer: «yo no creo que eso sea gran cosa», «a mí no me parece que Fulano tenga razón»... y visto para sentencia. Su reflexión más genial es «Momentum catastrophicum», sobre los nacionalismos, especialmente vasco y catalán, escrita en 1918 (¡y dirán que no hay mal que cien años dure!). Aunque no carece de caprichos argumentales, es muy certera. Las fuentes originales del nacionalismo son «la vanidad, la antipatía y el interés». Y la obra de catalanistas y bizcaitarras consiste en «excitar el odio interregional, fomentar el kabilismo español ya dormido. ¡Qué miseria moral, qué fondo de plebeyez!». Este tipo de manifestaciones le ganaron ataques en cierta prensa, que despreciaba. «Yo he elegido el ser hombre independiente y los insultos de los criados no me hacen mucha mella». ¡Ahí le dio! Por eso algunos de sus lectores no frecuentamos hoy las redes sociales...

Col tempo...

Decía Nietzsche que al pensar que un hombre como Voltaire había existido, se enorgullecía uno más de pertenecer a la especie humana. Este simpático triunfalismo (sí, ¿qué pasa? Me son simpáticos tanto Nietzsche como Voltaire, sobre todo por sus desbordamientos) probablemente nunca se extienda a Pío Baroja, cuyos fieles somos una secta más discreta, nada colosalista, que nos preocupamos poco de la especie y racionamos el orgullo como si estuvieran a punto de prohibirlo. Sin duda agradecemos «a los dioses o a la suma del tiempo», como diría Borges (que llamó a Baroja «un Montaigne de segunda fila»), la existencia de ese singular contemporáneo con boina pero por diversas razones, casi ninguna demasiado nietzscheana. A pesar de su pesimismo, tan espontáneo y a veces simplón, Baroja no es depresivo porque no menos espontáneamente ama la acción. Sí, ama la acción pero desconfía de cualquiera de sus imaginables resultados. Sus protagonistas no caen en el quietismo, como uno hubiera esperado, sino que siguen actuando por uno u otro camino, siempre desembocando muy lejos de lo que sin demasiada convicción buscaban o llegando a lo contrario como amarga recompensa. No importa, el movimiento no cesa, la voluntad que no sabe adónde va —que en momentos lúcidos se da cuenta de que se arrastra hacia lo que pretende evitar— sigue activando la máquina vital y su enredada combinatoria para que el juego continúe. ¿Por qué son tan endiabladamente entretenidas las novelas de Baroja, incluso cuando cuentan historias que en sí mismas nos interesan poco? Porque sus personajes actúan contra viento y marea, desesperanzadamente, con tal de no *aburrirse*: mejor la desesperación que el hastío. La acción humana rara vez consigue logros excelsos, pero al menos entretiene: y buscar el entretenimiento, huir del fastidio paralizador, es la más humana de las empresas. Por eso los lectores que sintonizamos con Baroja no podemos prescindir de sus cuentos de la buena pipa: narra el afán de actividad que no lleva a nada, pero nos mantiene momentáneamente lejos de la nada.

Toros

10 de diciembre de 2016

Recomiendo su lectura a los que sufran el gusto taurino con indebido sonrojo por remar contra la corriente del progreso.

Una de las ventajas de ser francés —se me ocurren varias— es la de no tener que pasarse la vida justificando sus ideas ante la Ilustración, el Racionalismo y otras intimidatorias deidades. Después de todo son también francesas, de modo que las llevan incorporadas de fábrica. En cambio los españoles tenemos horror a parecer irracionales, bárbaros, supersticiosos, etc. Estamos obligados a ganarnos la bula de la modernidad a pulso, porque nada se nos da por supuesto. Y a veces quedamos disecados por el qué dirán. Véase la afición a los toros. Baste que alguien nos invoque en contra que es una muestra de atraso, como si supiera lo que toca hoy en cuestión de ritos lúdicos, o que es bárbara y cruel, como si le hubieran nombrado juez de la dulzura civilizada, para que los más decentes empiecen a balbucear excusas y a proponer enmiendas regeneradoras. Así nos quedaremos con nuestros complejos y sin los toros...

Pero la tauromaquia la salvarán los aficionados galos. Dos instituciones del país vecino, la Unión de Ciudades Taurinas Francesas (¿se la imaginan aquí?) y el Observatorio Nacional de Culturas Taurinas (culturas, así como suena) han organizado un Museo Itinerante de las Tauromaquias Universales. Su catálogo, preciosamente ilustrado, al que acompaña un pedagógico DVD, recorre la historia de la fiesta desde sus precedentes prehistóricos hasta José Tomás, sin olvidar obviedades ecológicas contra los ecólatras: «La corrida es el símbolo de la gestión respetuosa de una especie en su medio ambiente». Recomiendo su lectura a los que sufran el gusto taurino con indebido sonrojo por remar contra la corriente del progreso. Y también a quienes creen ser ilustrados porque pretenden prohibir todos los placeres que no comparten, como si la Inquisición fuese moderna. ¿Por qué no prueban a ilustrarse ocupándose de sus asuntos?

Col tempo...

La última ocurrencia del Gobierno de Pedro Sánchez ha sido conceder un bono de 400 euros para gastar en cultura a los que cumplan dieciocho años en 2022. No es fácil descubrir por qué esa edad y ese año tienen premio en la pedrea gubernamental, como no sea porque —como sugieren los maliciosos— se trate de un modesto soborno a los que deben ir a las urnas por primera vez en esas fechas. Dejémoslo así, aunque parecería más adecuado que los jóvenes pudieran tener descuento en libros, música, cine o teatros sin tener que esperar a un año electoral para gozar del beneficio. Pero lo que me interesa en este comentario es señalar que las corridas de toros están expresamente excluidas de las posibles formas de gastar esos 400 euros. Vamos, que los toros no son cultura o, peor, que son cultura *reprobable*, como los rituales caníbales o la ablación del clítoris. Por su parte, el PSOE discutirá en su próximo congreso la abolición de los toros con carácter general y seguro que así complacerá a la cáfila de sus apoyos parlamentarios, reclutados entre los de la JOA (Jodida Obsesión Antiespañola). O sea que el humilde soborno destinado a los jóvenes no solo quiere comprar su voto sino que también decide por ellos lo que es cultura y lo que no. Si yo cumpliese dieciocho años en 2022, ay, con mis 400 euros del ala me iría a Francia...

Muy tarde

31 de diciembre de 2016

Nadie puede ser de veras bueno habiéndose divertido tanto como yo.

Ahora me abruma tanto desperdicio. Una vida que renunció demasiado pronto al verdadero camino de la sabiduría, que no supo evolucionar en el buen sentido, incapaz de ascender desde la chiquillada hasta la seriedad adulta. Un cierto talento, limitado aunque prometedor, derrochado en leer tebeos (con la entrega que otros reservan para Kierkegaard), novelas policiacas estudiadas con fervor como grimorios, y tantas películas del Oeste (con el corazón en la mano: no hay nada más hermoso) o ambientadas en las profundidades de la selva y los abismos del mar (donde acecha Kraken, el pulpo monstruoso, y la sombra aciaga del insaciable tiburón), mañanas ensangrentadas por los dinosaurios, medianoches sin luna de vampiros... La trampa de la infancia, de la que cuando no se sale a tiempo —¡oh, vergüenza!— ya no se sale nunca. Y lo demás se fue en el altar de las carreras de caballos o en otros compromisos poco edificantes, como beber los vientos (¡hasta los vientos!), guiñar el ojo sin éxito pero con fruición, y dormir largas, bochornosas siestas. Interminables, hasta hoy. No echo de menos el concepto claro ni la erudición incansable, sino la inexperiencia que perdió la ocasión de madurar.

Buena persona, dicen los amigos más complacientes, que también los hay. Pero no me llamo a engaño: nadie puede ser de veras bueno habiéndose divertido tanto como yo. Y muchas o muchos se alejaron cuando les dijimos que lo nuestro no era valor sino simple curiosidad, ¿verdad, Leonard? Parafraseando la confesión de aquel futbolista mítico que murió arruinado, gasté todo mi tiempo en lo innecesario y el resto lo perdí tontamente. Pero hoy, cuando el año acaba, me agobia este desperdicio: la voz de la tristeza es la de la hormiga amonestando a la incorregible cigarra. Inútilmente. Qué pronto se ha hecho tarde.

Col tempo...

Estas columnas semanales son lo más parecido al diario que nunca escribiré (aunque me gusta tanto leerlos) o al blog que tampoco abriré. Soy un mercenario de la escritura: si no me pagan, cierro el ordenador y me pongo a leer. Por eso hay tantos toques autobiográficos en estas pocas líneas que deberían tratar de la actualidad de un modo más objetivo. Pero eso es demasiado difícil para mí porque en realidad no me interesa el mundo en sí mismo sino lo que a mí me pasa con el mundo. A veces, en nuestras discusiones, yo le reprochaba al poeta José Bergamín que en sus puntos de vista (sobre todo políticos) fuese tan arbitrario: «Pero, Pepe, ¿no puedes intentar ser un poco objetivo?». Y él me contestaba con su sonrisa maliciosa: «Mira, si fuese un objeto sería objetivo, pero como soy un sujeto soy subjetivo». Supongo que puedo decirles esto mismo a mis enfurruñados lectores, a los que fastidia tanto *striptease* de ego. En este de la columna que comento apenas apunto una afición muchas veces contrariada pero central en mi vida: el sexo. Cuando en el 69 (cifra premonitoria) estuve en la cárcel de Carabanchel, compartía con algunos compañeros más bien ácratas como yo la desazón por no poder reclamarnos de ninguna sigla de partido: ni PC (las más augustas), ni PSOE, ni FLP, ni mucho menos PNV (no creo que de esos hubiera ninguno ni en Carabanchel ni en Martutene), nada de nada... Entonces decidimos inventarnos un cobijo y asegurábamos a quien quisiera escucharnos que pertenecíamos a la JOS. Los más ortodoxos nos preguntaban con recelo si las siglas pertenecían a algún grupo de juventudes obreras sindicalistas o algo parecido, y sonreíamos misteriosamente. Frío, frío... La solución del enigma era Jodida Obsesión Sexual. He seguido siendo miembro (claro, a eso me refiero) de esa asociación tremenda y por lo que compruebo en estos últimos tiempos ni siquiera he mejorado con los años. Más bien he tenido la suerte de empeorar...

Entierro

14 de enero de 2017

ETA no está viva, pero por desgracia de vez en cuando se le sale un brazo o una pata de la tumba y chilla en plan fantasma pidiendo respeto y obediencia.

¿Saben el del tipo que pasaba por un cementerio? De un túmulo reciente sale una mano descarnada y un grito: «¡Ayúdame! ¡Estoy vivo!». El tipo pisotea la mano hasta volver a hundirla en el agujero, diciendo: «¡Qué va, hombre! Lo que estás es mal enterrado...». ETA no está viva, aunque crean otra cosa los interesados en seguir agitando el espantajo para que les tomen en serio políticamente. Pero por desgracia tampoco está bien enterrada. De vez en cuando se le sale un brazo o una pata de la tumba, y chilla en plan fantasma, pidiendo respeto y obediencia. Como ya ha perdido mucha audiencia, intenta hacerse oír a través de sus representantes en el mundo de los vivos, o sea, los reclusos de la banda que aún mantienen la disciplina y sus herederos políticos que esperan algún reconocimiento publicitario forzando la amnistía o al menos cambios en la política penitenciaria. No han podido triunfar como verdugos y ahora pretenden ganar haciéndose las víctimas.

Proclaman que es el camino para conseguir la paz. Pero

tropiezan con la dificultad de que la inmensa mayoría de los vascos ya están convencidos de vivir en paz, que no es el reino del amor al prójimo —sublime pero raro—, sino el cumplimiento de las leyes. La paz que reconoce la gente como tal es el cese de amenazas, crímenes y extorsiones; en cuanto a la reconciliación, no la hay mejor que ver a los malhechores castigados y aceptando la pena por sus delitos. Es deseable que los presos se resocialicen, pero no en la compañía de quienes celebran a los asesinos excarcelados como héroes populares sino entre los que pasan de ellos. Hoy se manifiestan otra vez en Bilbao, porque ETA quiere seguir viva. Que la entierren de una vez.

Col tempo...

Cuatro años después de haber escrito esta columna, ETA sigue mal enterrada. Yo diría que peor enterrada que nunca. Y no, como aseguran los «pensadores» de izquierda, porque la derecha se empeñe en agitar su fantasma, sino porque sus herederos (antes cómplices) siguen pasando la gorra política en su nombre y nadie cobra un legado insultando la memoria del legatario. Bildu y su piara de matones no solo no piensan condenar a ETA (¿por qué habrían de hacerlo?, ¿porque se lo pida Pedro Sánchez, quien se apoya en ellos para gobernar y aprobar presupuestos?), sino que cada vez tributan a los etarras presos o recién excarcelados más muestras de compañerismo. El último caso fue el homenaje a Henri Parot, quizá el asesino en serie más cruel y demente de la banda, al que le prepararon una celebración con *korrika* incluida para presentarlo como víctima de un sistema carcelario de cadena perpetua. Pues vaya, si alguien merece la cadena perpetua es ese sujeto, y por mucho que sea revisable no habrá forma de acortársela porque no muestra la más mínima señal de haberse reformado (no arrepentido, cosa que de darse solo le interesaría a él y a su conciencia). La *korrika* y otros festejos que preparaban en Mondragón se fragmentaron finalmente, pero no por la intervención de los gobiernos estatal y regional, como afirmaron los sicofantes, sino porque el PP, Vox y C's apoyaron a las víctimas y decidieron personarse en los lugares de la convocatoria, lo que achantó a los organizadores, que tienen la consigna de mantener un perfil bajo. ¿Ha acabado la violencia en Euskadi? Desde luego, no la de baja intensidad, como bien saben los jóvenes del PP y Vox que han sufrido agresiones por su militancia, o los guardias civiles de paisano atacados en Alsasua, etc. Si no hay más violencia en Euskadi es porque los constitucionalistas han aprendido a disimular y a no exhibirse demasiado en público. Para no «crispar» ni «provocar» deben llevar una vida de cierta clandestinidad ideológica. Los delitos de odio que con tanta profusión (y a veces confusión) se denuncian cuando son homófobos o racistas, se silencian interesadamente cuando sus protagonistas son separatistas persiguiendo a sus adversarios en el territorio que ya creen conquistado. Porque ese es el verdadero problema de Euskadi, del que ETA no fue más que un fenómeno atroz pero episódico: Luis Haranburu Altuna lo ha señalado bien en su libro *Odiar para ser. Nacionalismo vasco: resentimiento e identidad* (Almuzara, 2021). Es ese ciego rencor el que hay que enterrar, junto a ETA.

Odio

3 de febrero de 2017

Stendhal recomienda: «Lector, no desperdicies la vida en odiar y tener miedo».

El paciente clama angustiado: «¡Doctor, odio a mis padres, a mi mujer, a mis hijos, a mis amigos...!». El médico se asombra: «Pero... ¿por qué me lo cuenta a mí?». «¿Acaso no es usted el médico del odio?» «¡No, hombre! ¡Del oído!» Perdón, es que se me olvida todo menos los chistes del cole. Lo cierto es que el odio causa hoy especial inquietud pública. Hasta caracteriza un tipo delictivo. Fomentar el odio provoca la exclusión y la persecución del prójimo. Es el odio contra individuos o grupos humanos, que nos envenena por semejanza con lo odiado. Al final de *Lucien Leuwen*, recomienda Stendhal: «Lector, no desperdicies la vida en odiar y tener miedo». Habla del odio y el miedo a personas o a nosotros mismos. Pero odiar ciertas ideas o ciertos comportamientos creo que es una forma de salud mental. No debe ser considerado delito, sino casi una obligación. Por ejemplo, detestar la idea más abominable, la que considera a alguien culpable o despreciable por lo que es y no por lo que hace. Una idea que vuelve a estar de moda, si es que alguna vez dejó de estarlo...

Mañana nos reuniremos en Andoain para recordar el asesinato de Joseba Pagaza. Yo no odio a Gurutz Aguirresarobe, su asesino, juzgado y condenado, que purga su pena en prisión. Ni siquiera odio a los espías del pueblo, que dieron la información necesaria para el crimen y siguen impunes. Ni a sus amigos y familiares, que dieron una rueda de prensa exculpatoria en el Ayuntamiento de Hernani, donde fue detenido, auspiciada por la entonces alcaldesa y hoy parlamentaria Marian Beitialarrangoitia. Odio la ideología tribal y obtusa de quien ordenó su muerte, de quien la ejecutó, de los que la justificaron. La odio porque sigue activa, emponzoñando almas e instituciones.

Col tempo...

Nada se emplea de manera más interesada y sectaria hoy que lo de los «delitos de odio». Las críticas de mis adversarios pueden ser delitos de odio, las mías hacia ellos son justificada repulsa. Es delito de odio la homofobia pero no las diatribas contra el heteropatriarcado... Vamos a ver: lo mismo que hay cosas amables, las hay aborrecibles. Y detestar lo que consideramos aborrecible es tan poco delictuoso como amar lo que tenemos por amable. Podemos equivocarnos, desde luego: yo aborrezco los barrigudos con bermudas floreadas, los odio, lo mismo que me encantan los microbikinis que veo en la playa. Puede que mis gustos estéticos sean deplorables, pero no estoy dispuesto a cambiarlos por ninguna disposición municipal. Aún más: considero que hay ciertos aborrecimientos —odios, para entendernos mejor— que no solo no son reprobables, sino que los tengo por exigibles como prueba de salud moral. Debe odiarse el racismo, la tortura, la pena de muerte, el terrorismo como instrumento político, la intolerancia frente a la libre expresión (sobre todo cuando se expresan opiniones que consideramos reprobables)... No dudo de que, como repiten los manuales de autoayuda, sean más recomendables los sentimientos positivos que los negativos, pero a veces tener vehemente rechazo contra opiniones o conductas de los que nos rodean es una forma de salud mental. Lo importante es que ese rechazo vaya contra lo que ciertas personas (ricachos, políticos, curas... pero también homosexuales, judíos, musulmanes o miembros de ONG) *hacen*, no contra lo que *son* personalmente. Si nos decidimos a proscribir algo, que sean conductas y no seres humanos. Hay doctrinas abominables, pero toda persona es como usted o como yo y merece un margen de reconocimiento. Por eso me parece que el perdón que las víctimas ofrecen a sus verdugos puede ser estimable humanamente (o no, según) pero es irrelevante ante lo política y socialmente condenable que ha motivado al verdugo. «Odia el delito y compadece al delincuente», como muy bien dijo Victoria Kent.

Risas

10 de marzo de 2017

¿Paz? Cumplir la ley igual para todos, sin subterfugios. ¿Convivencia? Cada cual en su casa y Dios en la de todos.

Hace semanas una periodista le dijo a Joseba Egibar que representaba el ala más radical del PNV y el *burukide* contestó: «No crea, yo soy de los moderados». Le doy la razón. El verdadero submundo radical del nacionalismo, tanto en el País Vasco como en Cataluña, no lo forman políticos con propuestas más o menos rupturistas, sino un lumpen ideológico o, mejor dicho, afectivo, alimentado por un odio feroz y pueril a lo que creen español. Esa animadversión visceral viene siendo fomentada de manera constante por las televisiones públicas de ambas autonomías, que en gran parte siempre han estado en manos de vesánicos mucho más desinhibidos que sus superiores institucionales. Hace más de quince años preparamos en Basta Ya una cinta de vídeo con una selección de momentos estelares de EITB, incluidos programas infantiles con niños encapuchados cantando en un rap que se fueran los españoles. Enviamos copias a los directores de los periódicos, a los conductores de los principales programas de radio, a políticos de todo el país, a comunicadores... sin obtener respuesta. Entonces éramos crispadores, ¿se acuerdan?

Ahora algunos se escandalizan del espacio *Soy euskaldún, ¿y tú?*, por las burlas e insultos contra los españoles, sus símbolos, etc. ¿Por qué? Sin duda es un programa de humor: ver a criaturas que parecen salidas de un *casting* para elegir ceporro&ceporra del año llamar «fachas» y «catetos» a sus compatriotas es tronchante. ¡Como si Fu Manchú denunciase el peligro amarillo! Pero también es ilustrativo de por dónde deben ir la reconciliación, la Paz y la Convivencia, esas cosas que tanto preocupan a los espectadores de EITB. ¿Paz? Cumplir la ley igual para todos, sin subterfugios. ¿Convivencia? Cada cual en su casa y Dios en la de todos. De la reconciliación no hablo, que me da la risa...

Col tempo...

Resulta ya casi aburrido seguir oyendo año tras año a los partidarios del «diálogo» insistir en que la única forma de entenderse es sentarse a una mesa y disponerse a aceptar lo que piden los separatistas. Y mientras tanto no hay que cambiar nada en las abominables televisiones locales de los reinos de taifas, ni modificar el perfil educativo con inmersión en una lengua y menosprecio de la otra, que siempre resulta ser el castellano, la común de todo el país. El problema del País Vasco y Cataluña no son agravios históricos ni perjuicios fiscales, sino la obsesión de unos cuantos por romper con España de todos los modos imaginables, lo cual no puede ser y además es imposible, como dijo el torero. Es un empeño semejante a librarse de la propia sombra dando saltos a izquierda y derecha. La sombra nos acompañará tercamente a no ser que apaguemos toda luz y volvamos a las tinieblas primigenias. Estoy seguro de que muchos separatistas preferirían vivir a oscuras que verse obligados a llevar una sombra que después de todo no se debe más que a lo que son. Yo creo que a los separatistas que odiando a los otros no hacen más que odiarse en buena parte a sí mismos no habría que pedirles que aceptasen la Constitución española: bastaría con que aceptasen la realidad.

Desamor

29 de julio de 2017

La sentimentalización es útil, porque convierte a los adversarios en maridos tiránicos o torvos enemigos de la dicha ajena.

No me convence que la quiebra de nuestra ciudadanía común intentada por los separatistas catalanes sea cosa sentimental. Portavoces voluntarios del inconsciente colectivo nos informan de que los «catalanes» (?) se sienten humillados, o dolidos, siempre orgullosos pero decepcionados, no están a gusto... En una reciente entrevista, Íñigo Errejón apuntaba que se habían «desenamorado» de España y que ese desafecto empeoraba cuando el resto de los españoles les regañaban por alejarse.

Claro, no hay amores obligatorios... al contrario de las instituciones políticas, cuya responsabilidad no depende de cardiogramas. La sentimentalización es útil, porque convierte a los adversarios en maridos tiránicos o torvos enemigos de la dicha ajena. ¡Cuánta crueldad! Así la inteligente Isabel Coixet se ve obligada a aclarar en un artículo que no hace falta ser de derechas o facha para rechazar el separatismo, cuando lo difícil es probar la pulcritud democrática de quienes amenazan con saltarse la ley e ignorar la voluntad del resto de los ciudadanos.

Algunos piensan que la cumbre de ese desamor será un referéndum antilegal (no meramente ilegal). Pero ya hoy pasan cosas igual de graves. En Castelldefels, un grupo de padres de alumnos del CEIP Josep Guinovart ha ganado un recurso legal para que sus hijos puedan recibir al menos el 25 % de sus clases en castellano. El equipo municipal (PSC, Podemos e independentistas) ha promovido una moción de rechazo a esos padres y llaman a desobedecer el auto de los tribunales por ir contra la escuela catalana. Lección primera: vulnerar derechos de otros catalanes. La alcaldesa es socialista: imaginen qué trato va a recibir el castellano en el federalismo plurinacional que propone su jefe... Les acompaño en el sentimiento.

Col tempo...

Las metáforas sirven en muchas ocasiones para hacer más comprensibles problemas complejos. Cuando yo daba clases de filosofía, hace ya tanto, creo que me las arreglaba bastante bien para encontrar metáforas adecuadas para ilustrar mis clases, aunque ninguna tan buena como la kantiana de la paloma que siente la resistencia del aire al volar y supone que en el vacío —sin el aire que la sostiene— volaría mejor. Pero también sabemos que hay metáforas que despistan en lugar de ayudar a entender, porque en efecto hacen fácilmente comprensible algo aunque ese algo sea distinto y aun opuesto de lo que se pretendía aclarar. Así ocurre con las metáforas sentimentales, amorosas o familiares, aplicadas a la comprensión de litigios territoriales o más bien ciudadanos, por hablar con propiedad (los territorios polemizan poco en comparación con los ciudadanos). Aunque el símil es tentador y obvio, la ciudadanía de un país democrático NO es una gran familia, ni los vínculos que unen a sus miembros se parecen a los matrimoniales ni aún menos a los creados por el amor. Sin duda en la pertenencia a un grupo humano influyen elementos afectivos o incluso pasionales, pero los tales no fundan la pertenencia sino que la hacen entusiasta o al menos soportable. Es deseable que sentimentalmente aprobemos lo que nos vincula política y legalmente, pero sería imprudente, yo diría que suicida, que basáramos nuestro compromiso en tales sentimientos. Y es que los afectos personales tienen el mismo tempo que nuestras vidas y, por tanto, están sometidos a la transitoriedad del ciclo vital humano. Por eso pudo decir Oscar Wilde, con una de sus paradojas de significado más profundo de lo que parece, que «la diferencia entre una pasión eterna y un capricho pasajero es que el capricho suele durar más». Los sentimientos fluctúan porque dependen del corazón humano, hecho de carne y sangre perecederas y que tiene sus latidos contados. Pero las naciones y los Estados cuentan su duración con medidas más amplias, en cada una de cuyas unidades (siglos, eras...) caben muchas vidas humanas. No pueden estar sometidos a ritmos sentimentales, necesitan palpitares más longevos. Formar parte de una historia común es algo accidentado, sin duda, pero menos precipitadamente que compartir un romance...

Conversos

2 de septiembre de 2017

No es obligatorio llevar turbante para agredir a la democracia, con una txapela *sobre el vacío de neuronas basta y sobra.*

Sabemos poco de los yihadistas que nos atacan; solo que son muy jóvenes, inasequibles a la persuasión porque están blindados con fervor y odio, de apariencia normal, incluso agradable, y sin el menor escrúpulo para asesinar o inmolarse. Desconocemos cómo prevenir sus crímenes y qué razones ofrecerles para lograr que renuncien a cometerlos. La mayoría han nacido entre nosotros; quienes los conocieron de pequeños o los trataron antes de su paso a la violencia se asombran de que hayan experimentado tan terrible metamorfosis. ¿Cómo puede ser...?

Aunque también perplejo, esto último me choca menos que a otros. A ver, en el País Vasco hemos padecido un fenómeno similar. Jóvenes nacidos en una sociedad democrática y en una de las regiones económicamente más desarrolladas de Europa, con estudios para todos y mejores oportunidades laborales que en el resto de España, se convirtieron en *serial killers.* Afortunadamente, nunca tuvieron tendencias suicidas como los otros, lo que hubiera dificultado la lucha contra ellos, pero su inverosímil bloqueo ideológico y su odio no son menores. Ni tampoco la magnitud de sus crímenes, pues la mayor matanza de Barcelona la cometieron ellos y han lanzado coches bomba a un patio donde jugaban niños. Ventajas a su favor: nunca ha habido un consenso total contra ellos, una vez encarcelados se les llama «presos políticos», cuando cumplen las condenas se les recibe con festejos como a héroes, sus «ideas» (perdonen la expresión) están representadas en el Parlamento por simpatizantes o cómplices que se niegan a condenarlos, se consideran de izquierdas y otros partidos aceptan aliarse con ellos para formar un bloque «progresista»... No es obligatorio llevar turbante para agredir a la democracia, con una *txapela* sobre el vacío de neuronas basta y sobra.

Col tempo...

Hace cuatro años que escribí esta columna y hoy los parientes políticos de la banda terrorista que hasta hace poco actuó en nuestro país son parte fundamental de la coalición de orates políticos que apoya al Gobierno. En el último *ongi etorri,* a un asesino etarra que salía de la cárcel tras haber cumplido su condena (Aitor Fresnedo, agosto de 2021) se le ve fotografiado con amigos, familiares y numerosos niños de corta edad. ¿Qué educación se supone que se les está dando a esos menores? Es evidente que crecerán en un entorno social que no solo comprende a los etarras, sino que los ensalza y los propone como modelos. Se repite que se acerca a los presos a cárceles del País Vasco y se suaviza su condena para facilitar su reinserción, supuesto primer objetivo de las condenas de prisión. Pero reinserción ¿dónde? ¿En un contexto que celebra sus crímenes o en uno que haya defendido la legalidad constitucional contra sus ataques? En el País Vasco, los etarras que salen impenitentes de sus condenas son celebrados como héroes por una gentuza plebeya aún peor que ellos, porque comparte su ideología criminógena (el separatismo) pero sin haber tenido el valor de ponerla en práctica arriesgando el pellejo como los terroristas. ¿Qué diríamos si a los yihadistas que han cometido atentados se les «reinsertase» enviándolos a territorio talibán, para que allí aprendiesen convivencia democrática? Y aún peor, si tuviésemos talibanes enseñando en nuestras escuelas, representándonos en el Parlamento, gobernando en localidades prósperas y recibiendo elogios de la izquierda en el Gobierno estatal y quienes desde los medios los apoyan por el servicio que prestan a la estabilidad democrática. Hay una trivialización culpable de la ideología terrorista en el País Vasco, que se presenta como si fuera el arrebato psicópata de unos cuantos y no como una consecuencia consentida y fomentada de la ideología separatista «pacífica». Nunca se entenderá (y, por tanto, no se podrá combatir eficazmente) el terrorismo yihadista si no se reconoce su vinculación íntima y necesaria con la doctrina islámica; y nunca se comprenderá la violencia etarra (y, por tanto, no se podrá extirpar su arraigo en la autonomía vasco-española) si no se explicita su filiación con el xenófobo separatismo aranista para combatirlo a través de los medios y la educación.

Mugre

21 de octubre de 2017

La única diferencia que veo es que alguna vez pudo haber comunistas de buena fe, mientras que un nazi de buena fe es inimaginable.

Un mes después de asumir la presidencia del Consejo de la Unión Europea con el lema «Unidad y equilibrio», Estonia convocó para el 23 de agosto una jornada en memoria de las víctimas de los totalitarismos europeos, es decir, el estalinismo y el nazismo. Es evidente que los estonios algo saben del asunto, porque los han padecido a ambos. Lo que no sé es por qué al comunismo lo llaman «estalinismo», como si antes de Stalin y después no hubiera sido también totalitario. Como si, ya puestos, no lo siguiera siendo hoy, cuando de Stalin ya no se acuerda casi nadie... al menos fuera de los países que sufrieron su caricia de acero. Esta jornada no parecía una efeméride demasiado comprometida, pero sin embargo no logró ni mucho menos un apoyo unánime. El griego Tsipras, Podemos, Izquierda Unida, EH Bildu y algún otro grupo parecido se desmarcaron de la celebración proclamando que «equiparar nazismo y comunismo supone un error histórico». Cosas del parentesco. No sé exactamente qué error hay. Si es el número de asesinados por cada equipo siniestro, dentro de Europa el balance está bastante equilibrado, pero China y los jemeres rojos desbordan a sus rivales. La única diferencia que veo es que alguna vez pudo haber comunistas de buena fe, mientras que un nazi de buena fe es inimaginable. Pero eso a las víctimas de unos y otros les ayuda poco.

Lo que cuenta es que el comunismo y el nazismo son la mugre política que la UE trató de erradicar. Pero ahí siguen. Marina Albiol, eurodiputada por Izquierda Plural, ha calificado hace unos días a la UE en un tuit de «institución criminal al servicio de los poderosos». Y eso repantingada en su escaño de Estrasburgo. Ella sí que es un error histórico...

Col tempo...

En nuestro país (que es España, nadie vaya a creer que me refiero a uno de esos reinitos de taifas que han proliferado como setas venenosas), «fascista» sigue siendo un grave insulto y «comunista», un piropo al buen corazón. A nadie se le ocurriría decir que el fascismo fue pervertido por quienes lo aplicaron y que el «verdadero» fascismo aún está por llegar para cumplir sus hermosas promesas. En cambio, semejante rogatoria se repite constantemente respecto al comunismo, a pesar de que esta ideología ha sido aplicada a escala estatal en muchos más lugares y momentos históricos, sin que nunca haya mejorado sus resultados. Como bien señaló Gregorio Luri: «Si el único capitalismo real es el realmente existente, el único comunismo real es el inexistente. Si algún comunista ha hecho algo condenable, es que no era un verdadero comunista». En el caso más favorable y de manera algo tendenciosa (a favor del segundo), podríamos decir que el fascismo es intrínsecamente perverso y el comunismo, intrínsecamente equivocado. También para echarle una manita a los mismos suele evitarse llamar abiertamente «comunistas» a quienes lo son y lo proclaman, prefiriendo la denominación de «estalinistas» o el más exótico de «maoístas», como si —ya que antes hablábamos de setas— en sí mismo el comunismo fuese un manjar delicioso y humanista, pero en el que se dan variedades letales, amanitas muscarias políticas que hay que saber distinguir y evitar. Esas variedades son de momento todas las conocidas, y no creo que nadie saliese ilusionado a buscar setas cada mañana si hubiese constatado que todas las que se encuentran son igualmente ponzoñosas. En nuestro país hemos visto tratar a cualquier partido de derechas o conservador como fascista, de tal modo que ahora —Sánchez *regnante*— no hay más que enloquecida extrema derecha e izquierda progresista; a la derecha se la juzga por sus peores torpezas y a la izquierda por sus mejores intenciones. Así no es difícil ganar la partida. Mención aparte merece el prólogo (?) que la señora Yolanda Díaz, la ministra mejor valorada del Gobierno por razones que la razón no alcanza, ha perpetrado contra el *Manifiesto comunista*, un texto vigorosamente profético pero ninguna de cuyas profecías afortunadamente se ha cumplido. La ministra Díaz ha confundido el *Manifiesto* con *El principito* y de ahí la blandura sentimental de su texto. Creo que le hubiera gustado a Marx y a Engels aún menos que a mí...

Circo

4 de noviembre de 2017

Allá en lo alto tenía a Pinito del Oro por invulnerable, refulgente y hermosa, el hada de las cimas.

Soy uno de los huérfanos que dejó Pinito del Oro, la reina del trapecio. Ya no quedaremos muchos de los que la vimos en su primera época, cuando comenzó la leyenda que jamás palideció. He ido mucho al circo, como casi todos los niños de la época anterior a los «payasos de la tele»... y a la tele. Pero siempre tuve reservas contra ese espectáculo que sin embargo forma parte imborrable de la primera edición de mi espíritu. Desde muy pequeño, el circo me ha dejado siempre algo triste. Un mundo mágico a cuyo esplendor se le despegaban las lentejuelas y que abundaba en serrín con olor a orines... La gente del circo (payasos, volatineros, ilusionistas, funámbulos, amazonas de corta faldita almidonada...) se me hacía que nos pedía ayuda, que ansiaba ser rescatada. Yo no iba a la carpa sonora de músicas siempre idénticas que me encantaban para disfrutar de sus gracias y habilidades; yo iba a ver las fieras. Con suerte, me tocaba una localidad cerca del pasadizo enrejado por donde leones y tigres trotaban sigilosos hasta la gran jaula central. Allí los esperaba Ángel Cristo, redentor y mártir de bestias feroces...

Su exilio es el final del circo y el comienzo de la cursilada *soleil*...

En cambio, no me impresionaba la intrepidez de Pinito. ¿El triple salto mortal sin red? ¿Por qué no? Yo la consideraba tan incapaz de equivocarse en sus ejercicios como mi madre al escogerme la ropa que debía llevar al colegio cada mañana. Allá en lo alto la tenía por invulnerable, refulgente y hermosa, el hada de las cimas... La niñez vuela más arriba de cualquier trapecio. Luego se aprende el riesgo del vértigo, lo inevitable de la caída hasta para el más prudente, el mérito de estar en el vacío con un pie sobre la barra y los brazos en alto, esperando que la orquesta haga «¡tachán!»...

Col tempo...

En efecto, lo que yo disfrutaba en el circo era ver de cerca animales salvajes. Para mí un circo sin fieras (incluyo en esta categoría intimidatoria animales poco o nada feroces, como las focas, los caballos amaestrados y los chimpancés) era como una orquesta sin músicos, solo con gente que imitara los instrumentos con la boca. Incluso a veces el pequeño zoo anexo al circo donde podían verse los animales a pocos centímetros me gustaba más que los propios números que tenían lugar en la pista. Allí, en una de esas jaulas ensambladas un poco a la buena de Dios (en francés dicen *à la diable*, no sé cuál instancia sobrenatural es más apropiada), que ciertamente no debían de ser nada cómodas ni saludables para sus inquilinos, y que a veces encerraban animales que no actuaban en el espectáculo (recuerdo un circo que llevaba en su pequeño zoo nada menos que un hipopótamo, realmente comprimido en su minúscula piscina enrejada), allí yo toqué por primera y creo que última vez la cabeza de un tigre. Había ido con mi abuelo Antonio, compañero y cómplice de mis escapadas infantiles, a ver el especialmente nutrido zoo de ese circo, del que nada recuerdo más que este episodio. Paseamos entre las jaulas, perfumadas con su consiguiente olor agrio a bestias prisioneras, acercándonos de vez en cuando a una que parecía vacía: «¿Y aquí qué hay?». Pero no cabía duda de quién ocupaba una de ellas: los tigres. Uno, el mayor de todos, dormitaba tranquilamente con la cabeza enorme al sol, apoyada en los barrotes de la jaula. Yo me paré allí, hipnotizado por la proximidad de la fiera, la misma que protagonizaba los sanguinarios relatos que tanto me gustaban de Kenneth Anderson y Jim Corbett. Aún no conocía los versos de Blake con que luego encabecé el capítulo dedicado a las aventuras de Kenneth Anderson en *La infancia recuperada*: «¡Tigre, oh tigre / que llameas en los bosques / de la noche...!». Mi abuelo, distraído, había seguido ya hasta el siguiente carromato: «Ven, mira, aquí está el oso». Entonces yo extendí velozmente la mano y toqué la cabeza dorada apoyada en los barrotes. Era muy dura bajo la aspereza del pelo, seco e hirsuto. Mi abuelo lo vio y casi sufre un infarto. «Pero ¿qué haces? ¿Cómo se te ocurre? ¡No te vuelvo a traer!». Sus gritos me asustaron más que mi propio atrevimiento. El tigre seguía entretanto inmóvil, disfrutando de su siesta y soñando con las lejanas orillas del Ganges...

Pasmo

18 de noviembre de 2017

Como dice un amigo mío, no van a faltar cárceles para encerrarlos a todos, sino manicomios.

La mayor dificultad con que tropieza el trashumante Puigdemont para convencer al mundo de lo justificado de su causa es que los motivos de tan inaplazable rebelión (inmediatamente aplazada) no están nada claros. Después de todo, piensan los extranjeros menos empáticos, para meterse en un fregado de tanta importancia hacen falta razones de alta gama. Por más que mira, el obtuso forastero solo ve una región mediterránea envidiablemente desarrollada, tutelada por el proteccionismo estatal desde el siglo XIX, que goza de una autonomía administrativa cuasi federal, con instituciones cívicas y culturales propias de primera magnitud, centro editorial y universitario de toda España, a la cabeza del diseño, la gastronomía, el fútbol y prestigios no inferiores... Ver a sus ciudadanos arrastrando cadenas invisibles, desafiando a las leyes que tanto les benefician y clamando agónicamente por la *llibertat* como los esclavos de *Nabucco* resulta bastante chocante. A ver, a ver, explíquemelo mejor...

Por fin ha desvelado su secreto el *expresident* al periodista de *Le Soir* en una entrevista. «Nosotros queremos construir un Estado moderno en el que la libertad de lenguas sea posible. Si esto hubiera sido posible con el Estado español, no hubiera habido ninguna reivindicación de un Estado catalán». ¡Acabáramos! Si en Cataluña, Valencia, Baleares, Euskadi, Galicia... se pudiera sin cortapisas enseñar, relacionarse con la Administración, rotular comercios, etcétera, tanto en castellano como en las lenguas cooficiales reconocidas en cada región, no habría sido indispensable el fervor independentista que está arruinando a Cataluña y enfrentando a todo el país. Pero por culpa de la inmersión lingüística y discriminaciones parecidas, no hay más remedio que ir a las barricadas. En fin, como dice mi amigo A. T., no van a faltar cárceles para encerrarlos a todos, sino manicomios.

Col tempo...

En España hay sin duda discriminación lingüística, pero contra el castellano. Sucede en Cataluña, el País Vasco, Baleares, Galicia... La razón es fácil de entender: los que discriminan son los nacionalistas, que utilizan su lengua particular como ariete a favor de la independencia; para ello deben acabar con la posibilidad de una lengua común, porque ahí está la base de un Estado común y ellos quieren un Estado propio. No quieren hacerse entender; al contrario, prefieren resultar ininteligibles porque eso demuestra que son extranjeros, que no pertenecen a España y que tienen poco que ver con ella. Recuerdo hace ya muchos años una conferencia mía en una capital gallega, invitado por su correspondiente caja de ahorros. En el turno de preguntas, me hizo una un señor bastante malencarado en lo que creí que era castellano hablado con fuerte acento gallego. Empecé a responderle, pero el representante de la caja que me acompañaba intervino para rogar al interviniente que me repitiese la pregunta en español, por cortesía, etc. Dije que no era necesario porque le había entendido perfectamente. Entonces el preguntante se enfadó mucho y me dijo, ya en definitivo castellano: «Pues sepa usted que le he hablado en una lengua diferente, no en la suya». Respondí que sin embargo le había comprendido, que quizá el Espíritu Santo me había dotado del don de lenguas en un Pentecostés a mi medida, que podíamos seguir nuestra charla, él en gallego y yo en castellano. Nada, no hubo modo: haber resultado comprensible a la primera le había humillado y ofendido. ¡Con lo impenetrable a españoles que quería ser él! Este caso es bufonesco, pero no muy distinto a lo que ocurre en otras autonomías copadas por nacionalistas (entre los cuales incluyo, desde luego, a la señora Armengol, aunque sea del PSOE). Frecuentemente la lengua no solo es un elemento rabiosamente diferenciador del resto de España, sino un útil requisito para que las plazas académicas o funcionariales vayan a los talentos locales sin la molesta competencia de aspirantes del resto del país. Por eso me resulta francamente disparatado que en el Senado se vaya a permitir el uso de todas las lenguas del país y a pagar traductores para que los senadores —todos los cuales conocen perfectamente nuestra lengua común— se entiendan entre sí, como si formaran parte de una asamblea internacional y no el cuerpo deliberativo de un único país.

Mal

20 de enero de 2018

Ni los endemoniados ni los psicópatas pueden reformarse. Hay que ponerles para siempre fuera de la circulación humana. Son un peligro para la sociedad.

Más allá de ciertos espasmos líricos para celebrar algún momento propio que modestamente tenemos por glorioso, el libre albedrío suscita rechazo y hasta repugnancia a casi todo el mundo. En especial cuando se trata de acciones viles, detestables. Los anticuados las atribuyen a las asechanzas diabólicas, incluso a la posesión infernal («¡No nos dejes caer en el mal!»); los modernos, a trastornos mentales, genéticos, irremediables. Todo menos considerarnos responsables de lo torpe o lo atroz. El asesino de Diana Quer no puede ser mentalmente *normal*, debe estar enfermo, como el doctor Mengele o Donald Trump. En la antigua URSS se enviaba a los disidentes al manicomio: un crítico del paraíso bolchevique no podía estar en sus cabales... Hoy se recurre a las neurociencias para despejar la incógnita de la libertad, igual que para descifrar un velázquez podemos llamar a un químico que nos explique la composición de los pigmentos usados y las fibras de la tela así manchada. Hacemos el bien por imitación o respuesta evolutiva, el mal por perturbación psíquica y el resto es literatura. ¡Uf, menudo alivio!

¿Qué haremos con los malhechores? Lo mejor es desembarazarse de ellos para siempre, aquí coinciden los antiguos y los modernos: ni los endemoniados ni los psicópatas pueden reformarse. Hay que ponerles para siempre fuera de la circulación humana. Son un peligro para la sociedad, tengan veinte años o setenta. Sobre todo son un peligro para nosotros, los normales, que sentimos tentaciones diabólicas (nos tienta lo que nos atrae pero nos espanta) y vivimos fascinados por los psicópatas en novelas o series de televisión. Para ser sinceros, son ellos los que mandan —los demonios y *serial killers*— porque han *decidido* por nosotros: al encerrarlos definitivamente guardamos en sus celdas nuestra alma vacilante y traicionera...

Col tempo...

En todas las épocas se han ofrecido argumentos poderosos para desembarazarnos de la responsabilidad de nuestros actos: el *fatum* o destino de los antiguos, las asechanzas diabólicas, las condiciones sociales, la educación, la ascendencia familiar, la conformación cerebral, la adaptación evolutiva... Grandes filósofos como Spinoza o Schopenhauer consideraron —por distintas razones— el libre arbitrio como una ilusión. Pero en el fondo, cuando nos consideramos a nosotros mismos, ningún determinismo nos convence y todos nos tenemos por libres... al menos hasta cierto punto: podemos elegir libremente cómo actuar en unas circunstancias dadas, pero esas circunstancias no las hemos elegido. Puedo decidir suicidarme o resignarme si me diagnostican un tumor cerebral incurable, lo inevitable y que no depende de mi voluntad es el tumor mismo. En la vida cotidiana damos por descontada la responsabilidad de cada cual por sus acciones. Un sofista de la antigua Grecia tenía un criado que negaba la libertad de nuestros actos y aseguraba que todo está determinado por la naturaleza; el sofista comenzó a apalearle ferozmente y como el desdichado gritase: «¡Para, no me pegues más!», su dueño le dijo que entonces debía reconocer que él era capaz de acabar con el castigo o no. Lo único seguro en este asunto es que si aceptamos la libertad, debemos al mismo tiempo aceptar la responsabilidad, es decir, la autoría de la acción por un sujeto determinado. Libertad y responsabilidad son lo mismo, dos formas de ver nuestra relación con un acto: libres antes de actuar, responsables después. Hay que educar para una libertad que se convertirá en responsabilidad al momento de ejercerse. Lo que nos angustia, lo que nos tienta con su vértigo como inclinarnos sobre un abismo que nos atrae, no es propiamente la libertad —como pensó Kierkegaard— sino la responsabilidad. De ahí esa mezcla de fascinación, repulsión e indudable miedo que sentimos ante los criminales, porque ya han saltado al abismo. Pero si admitimos que fueron libres (y son por tanto responsables) cuando cometieron su delito, deberemos también aceptar que siguen siendo libres para cambiar su conducta en el futuro, sea por arrepentimiento o por evitar el castigo. Si alguien puede ser culpable es porque también puede ser reformable; el determinismo en cambio nos libera de la culpa pero nos condena a ser siempre lo mismo, para mal o para bien. Tendremos que seguir pensando sobre el asunto; mientras, haremos bien en resignarnos a cárceles y manicomios.

Infección

27 de enero de 2018

El talento más alto también procrea retoños deformes y criminales.

El problema moral que plantean los panfletos antisemitas de Céline no es si Gallimard debe o no reeditarlos, sino cómo comprender que hayan sido escritos por la misma mano que compuso *Viaje al fin de la noche*, una de las grandes novelas europeas del pasado siglo. Yo he leído esos panfletos, cuyo título no pienso repetir, que se consiguen por internet sin mayores dificultades. ¿Acaso puede hoy prohibirse un libro, cuando cualquier mercancía está a un clic de ordenador? Quizá una edición regular de venta en librerías borraría parte del aura maldita que los rodea y los hace más tentadores (mejor no hablar de unas posibles notas críticas, en las que algunos confían como en la pareja de la Guardia Civil que flanquea al peligroso maleante). Porque esos panfletos son repulsivos: tan convulsos y desquiciados que, si el tema no fuese serio, darían risa. Pero a su modo son imprescindibles para entender nuestra época, en la que de lo mejor puede brotar lo peor y el talento más alto también procrea retoños deformes y criminales.

Céline escribió un breve ensayo biográfico sobre Ignaz

Semelweiss, un médico que a comienzos del siglo XIX descubrió el modo de evitar las fiebres puerperales que mataban a tantas parturientas (lo editó Alianza, traducido por García Hortelano). Bastaba con lavarse bien las manos y también los instrumentos que se utilizasen en el parto. Pero en aquella época anterior a Pasteur, esta sencilla solución resultaba increíble y los colegas se burlaron de Semelweiss. Entonces él, para convencerlos, se hirió con un bisturí empleado en una autopsia, infectándose mortalmente. Me pregunto si Céline no hizo otro experimento semejante, contaminando voluntariamente su escritura con los peores miasmas del siglo para ponernos en guardia contra la infección política de la historia.

Col tempo...

El tema de cómo talentos que levantaron algunos de los monumentos intelectuales más duraderos de nuestra época pudieron perpetrar también páginas abominables, antihumanas, sigue escandalizando hoy tanto como hace cincuenta o cien años. No se trata de ejemplos de la más bien risible cultura de la *cancelación* de nuestros días, que trata de castigar a título muy póstumo a personalidades emprendedoras de hace varios siglos por no compartir los prejuicios de la madre Teresa o Greta Thunberg. El caso de Louis-Ferdinand Céline o, casi dos siglos antes, el del marqués de Sade, son distintos: no se puede decir que lo escandaloso de su forma de pensar o de escribir fuese reflejo de una época diferente a la nuestra porque también chocaron con sus contemporáneos. El marqués de Sade fue perseguido y encarcelado por sus obras, y hoy, a pesar del triunfo de la Ilustración, no recibiría mucho mejor trato si fuese un escritor actual. Al contrario, le beneficia el respeto histórico que le convierte en una especie de clásico, lo que le asegura una cierta veneración. En realidad, el sadismo y el antisemitismo son repulsivos y no merecen ninguna disculpa. Pero hemos aprendido (salvo los fanáticos, es decir, los que se niegan a aprender) que podemos disfrutar una obra de arte de manera discrecional: gozar de su forma, aprender de su originalidad, tonificarnos con su brío estilístico pero sin dejarnos pinchar por sus espinas venenosas. Esto puede resolver el tema respecto a nuestro trato con la cicuta literaria: paladearla pero escupirla antes de que nos infecte. Se mantiene sin embargo el enigma de cómo en el mismo creador pudieron darse las cimas luminosas y los fétidos charcos; eso ya no pertenece a la historia de la literatura o el arte, sino a la inescrutable fisiología del alma.

Aliénor

3 de febrero de 2018

Entre los españoles, las alegrías de unos son preocupaciones de otros y nunca anhelan al unísono ni sienten juntos.

Leonor, dulce Leonor, felicidad para ti. ¡Qué nombre más bonito para una princesa! Imposible no recordar al oírlo a aquella otra Leonor, la de Aquitania, la mítica Aliénor que fue reina consorte de Francia y de Inglaterra, madre de Ricardo Corazón de León y del traicionero Juan Sin Tierra, hasta convertirse siglos después en la Katharine Hepburn de *El león en invierno*. Me alegró ver a tu padre felicitarse a sí mismo concediéndote una condecoración suprema que encierra un símbolo escabroso que no tienes por qué conocer ahora. Pero me preocupo por ti, mi Leonor, tan guapa y formal, tan irresistible. Debes escuchar los consejos de tu padre y obedecerle, nunca me oirás decir otra cosa. Luego, en un susurro, te hago una excepción. Al imponerte el Toisón, junto a otras cosas hermosas y sensatas, te dijo el Rey: «Harás tuyas todas las preocupaciones y las alegrías, todos los anhelos y los sentimientos de los españoles». Escúchame, Leonor: ni se te ocurra. Porque entre los españoles, las alegrías de unos son preocupaciones de otros y nunca anhelan al unísono ni sienten juntos. Si pretendes empatizar con todos te harán pedazos, ellos mismos viven despedazados y para despedazar.

¡Dulce Leonor, nuestra Aliénor, tan protegida por tu familia, tan desamparada ante el vendaval del futuro imprevisible! Si fuera posible la fuga, te ayudaría a huir. Eres la princesa de los que preferimos ser ciudadanos sin república a republicanos sin ciudadanía, un escuadrón poco fiable porque no creemos en princesas aun sabiendo que eres la mejor opción. Al verte en palacio el otro día recordaba los versos de Juan Eduardo Cirlot: «La luz de tu belleza de princesa / brilla en la eternidad de este momento; / princesa del horror de ser princesa».

Col tempo...

Incluso bastantes de los más reacios a simpatizar con los oropeles ya desgastados de las monarquías somos eventualmente sensibles a ciertas ráfagas poéticas que aún nos llegan a veces desde ellas. Es el mundo de los cuentos de hadas, al cual no es fácil dejar de pertenecer: ahí está el éxito de *El Señor de los Anillos* y sus inacabables imitadores para probarlo. Yo me resistí bastante a aceptar la dinastía borbónica como solución de compromiso para la transición entre dictadura y democracia en nuestro país. Incluso me abstuve en el referéndum sobre la Constitución por ese motivo: fue una equivocación política, sin ninguna duda, pero por la que todavía guardo cierta simpatía moral... Durante años, el 14 de abril procuraba colar en *El País* un artículo prorrepublicano (lo mejor fue el título del primero, «Lotería primitiva»), con un entusiasmo que decrecía según iba conociendo a más republicanos de carne y hueso. Finalmente me he dado cuenta de que, dejando a un lado o en el fondo del armario los pastos de lo teórico, la monarquía española ha dado muestras de un pragmatismo (al sustituir al en su día muy útil pero luego corrupto Juan Carlos por el recto Felipe) del que carecen la mayoría de las altas instituciones de nuestro país. Tras su fenomenal discurso en octubre de 2017 que cerró de un portazo la farsa del golpe de Estado separatista en Cataluña, muchos vimos en nuestro rey actual la única encarnación militante y eficaz del ideal republicano con el que habíamos soñado. Desde una consideración nada idealista de las cosas, preferimos conservar nuestro país democrático en su forma monárquica que verlo deshacerse en diversos retazos republicanos enfrentados.

¿Y Leonor? Es el toque poético que solo la palabra *princesa* puede aportar. Más allá de lo práctico, más allá de lo político, está esa adolescente frágil, preocupada, empeñada en el papel que la vida le ha obligado a aceptar. ¿Cómo no sentir cierta emoción amorosa por ella? Creo que el rey Felipe VI es casi providencial para nuestro país y espero que reine muy largo tiempo para bien de todos. Pero no puedo evitar un sincero lamento porque mis muchos años hagan improbable que vea coronada en España a la reina más bella de toda Europa...

Drogas

17 de febrero de 2018

Puesto que no van a desaparecer del mercado, más vale aprender cómo manejarlas por si la curiosidad o la tentación vencen a la prudencia.

Las supersticiones son consideraciones falsas acerca de lo real, más influidas por el miedo que por la observación, a las que cualquier circunstancia vale como refrendo y nada sirve como refutación. Las llamadas «drogas» son uno de los temas favoritos de los supersticiosos. Es un campo en el que no solo no hay avances racionales sino patentes retrocesos desde los tiempos en que Thomas Szasz y Antonio Escohotado aportaron claves iluminadoras que escandalizaron a algunos pero no fueron refutadas por nadie. La cruzada prohibicionista, cuyos únicos frutos han sido el gangsterismo, la adulteración mortífera, la corrupción policial y el retroceso de la democracia en países americanos, parecía ya desacreditada incluso entre políticos conservadores, pero en nuestro país vuelve a gozar de excelente salud. Lo demuestran las reacciones histéricas que ha suscitado un folleto explicativo sobre el tema editado por el Ayuntamiento de Zaragoza entre todas las fuerzas políticas salvo Podemos, dicho sea por una vez en su honor.

Lo que allí se dice es pura evidencia: que drogas y medicinas son sustancias del mismo género, diferentes solo en efectos sobre el organismo, dosis recomendables y leyes que enmarcan su distribución. Que todas admiten uso adecuado (a veces no recomendable) y abuso peligroso. Que puesto que no van a desaparecer del mercado, sobre todo las prohibidas, más vale aprender cómo manejarlas por si la curiosidad o la tentación vencen a la prudencia. Escandalizarse ante esa guía es como fulminar la educación sexual en la escuela por corromper a los menores... En privado, los políticos menos cerriles de cualquier partido admiten que tales instrucciones son útiles pero añaden que la «gente» no lo entiende así. Es la renuncia a la ilustración: decir a la gente lo que quiere oír, nunca lo que debe saber...

Col tempo...

Tener conciencia debe ser un experimento límite de la naturaleza que desborda lo meramente natural. Lo digo porque el deseo de alterar la conciencia acompaña siempre a esta y no solo se trata de una característica humana: los elefantes se emborrachan comiendo frutas fermentadas (lo que se llama «coger una buena trompa»...), los tiburones buscan ciertas cuevas en las que se dan corrientes que los hacen entrar en éxtasis, hay gatos y perros que muestran auténtico vicio por las bebidas con alcohol en cuanto las prueban, etc. Por supuesto, la conciencia humana es la que muestra más incontrolable entusiasmo por alterarse. Yo diría que es su principal dedicación...No solo ingiriendo sustancias tóxicas de efectos embriagadores, sino también a través de otros medios, como el vértigo o mareo que producen ciertos juegos y atracciones de feria (tiovivos, montañas rusas, etc.). Creo que el propio orgasmo es una vibración estupefaciente (de ahí su apodo de *la petite mort*) y también drogan ciertos riesgos que comprometen la vida pero nos dan un «viaje», a veces sin retorno: la fiebre extrema, la lipotimia, el ahogamiento, la electrocución... Todas tienen sus adictos casuales o voluntarios, que a veces llegan hasta el martirio (la muerte de David Carradine, por ejemplo). Si nos atenemos a las drogas que se ingieren o se inyectan, todos los pueblos las han conocido, incluso los más primitivos y remotos. Quizá la única excepción sean los esquimales, porque han vivido en regiones casi sin vegetación (matriz necesaria de todas las drogas anteriores a la síntesis química): pero después, cuando llegaron a conocer el aguardiente, se han desquitado con creces... En nuestra época (¡y no digamos en el inmediato futuro!) el desarrollo de la química, los microchips, etc., hace risible la pretensión de vivir sin paraísos artificiales. Más vale que nos preparemos a gestionarlos o dejarnos aniquilar por ellos...

Palabra

24 de febrero de 2018

El catalán no necesita «defensores» porque no tiene enemigos, aunque le sobran los falsos amigos que lo usan para sojuzgar.

El castellano no corre peligro, ni en Cataluña ni en ninguna parte: al contrario, aumentan sus millones de hablantes. Son los ciudadanos de Cataluña y de otras regiones quienes ven sus derechos constitucionales conculcados cuando se les niega o dificulta estudiar en la lengua de España, es decir, de su país. No viene al caso que el castellano pueda aprenderse también fuera de la escuela (hay iletrados que aprenden a contar, sumar y restar en el mercado y sin embargo enseñamos a los niños aritmética): no se trata de conocer la lengua, sino del derecho a utilizarla para aprender lo demás y desarrollarse intelectualmente. Tampoco es una asignatura como cualquier otra: practicar uno o más idiomas extranjeros es muy recomendable culturalmente, pero poder elegir en libertad el español para estudiar es fundamental para nuestra ciudadanía. Y no es cosa que nos otorgue ni pueda quitarnos un parlamento regional porque las autonomías no disponen los derechos constitucionales de los ciudadanos que viven en ellas.

Ahora ya a nadie se le oculta el propósito político que hay detrás del doblegamiento del castellano y la hipertrofia del catalán en la escuela, la rotulación, como requisito para determinados trabajos, etcétera. Es lo que el separatismo llama la «construcción nacional», que pasa por la destrucción de la nación política vigente. Con el pretexto de no dividir a los escolares, se les impone la unanimidad lingüística forzosa que intenta separarlos del resto del país. Es un atropello que debería haberse corregido hace mucho, con 155 o sin 155. Si no se hace tampoco ahora, ¿cuándo? ¿A quién hay que pedirle permiso para que deje de vulnerarse la ley? Ah, y el catalán no necesita «defensores» porque no tiene enemigos, aunque le sobran los falsos amigos que lo usan para sojuzgar.

Col tempo...

A lo largo de estos años, incluso mucho antes de empezar a escribir esta serie de columnas, me he ocupado de la conculcación de los derechos de los castellanohablantes en el País Vasco, Cataluña, Baleares, etc. En realidad, todos los ciudadanos españoles (incluso los más remisos a serlo) somos castellanohablantes, aunque algunos encuentran más dificultades para vivir en su lengua que otros. Desde luego, quienes utilizan el catalán para tiranizar a sus conciudadanos no lo hacen por miedo a que el catalán desaparezca, porque es una lengua moderna, con actividad literaria, en la cual puede estudiarse, etc. Nunca alcanzará la expansión mundial del castellano, porque carece de la oportunidad histórica que tuvo este en América, pero tampoco parece verosímil que retroceda de su situación actual. En todo caso, su pervivencia y asentamiento dependen de la voluntad de sus hablantes de no renunciar a utilizarlo, pero nunca de que logren extirpar el castellano de su región. La obsesión de perseguir la lengua castellana responde a la decisión política —no cultural— de disolver los lazos que unen a los catalanes (o vascos, etc.) con el resto de los españoles. El mecanismo de presión de los separatistas es convencer al resto de la sociedad catalana —y sobre todo a los más jóvenes— de que es incompatible la «catalaneidad» con el castellano o con cualquier otro rasgo considerado típico de los españoles..., rasgos que naturalmente abundan en Cataluña, tierra de españoles desde hace mucho tiempo. Como bien se ha señalado, esa manía secesionista, antes de separar a los catalanes del resto de los españoles, separa irrevocablemente a unos catalanes de otros. Y la inquisición contra el castellano sobre todo en el terreno educativo (las trabas puestas en los exámenes de selectividad a quienes quieren examinarse en castellano son un ejemplo entre mil) daña principalmente a los estudiantes de origen más humilde, aquellos que no reciben de sus padres mayor legado que una lengua de extensión universal que les proporciona perspectivas laborales y culturales con las que, si fuesen monolingües en catalán, no podrían ni soñar. Como en tantos otros casos, el separatismo consiste en robar a los pobres sus derechos para que una burguesía autocomplaciente pueda monopolizar el poder presente y futuro de la comunidad.

MAU

Imbéciles

10 de marzo de 2018

El raciocinio y la palabra son emblemas orgullosos de lo humano, a los que no podemos renunciar sin anularnos.

Al hablar de imbecilidad, tenemos siempre que hacerlo en primera persona del plural. ¿Imbéciles? *Me too...* Los animales aciertan por instinto, el superhombre (cuando llegue) nunca fallará en su esplendor; cojeando entre ambos extremos, el simple humano hace diana o falla el tiro sin saber nunca su puntuación definitiva. Eso es lo malo: el mismo que da muestras de talento incurre al momento en una estupidez desoladora. Y ello trae malas consecuencias: reparen, sin ir más lejos, en la historia de la humanidad. Tal es el aviso de Maurizio Ferraris en *La imbecilidad es cosa seria* (Alianza), donde define esta enfermedad endémica en nuestra especie —un mal derivado del desempeño racional, igual que la silicosis acompaña la minería— como «ceguera, indiferencia u hostilidad a los valores cognitivos, más extendida entre quienes tienen ambiciones intelectuales». Que se adapta a la época: De Maistre demostró que el venerado Francis Bacon, inventor del método experimental y mentor de ilustrados como Kant, no ahorró en bobadas, igual que ahora los neurocientíficos cuando hablan del libre albedrío o el divorcio.

Sobre las mujeres, los varones ilustres han disparatado a gusto, negándoles el alma o el número de sus dientes (Aristóteles) hasta que ellas se han desquitado asegurando que el coito es una violación (Andrea Dworkin) o que la elección de De Guindos es un ultraje al género femenino (Margarita Robles). Y así todo.

El raciocinio y la palabra son emblemas orgullosos de lo humano, a los que no podemos renunciar sin anularnos. Pero quien piensa desbarra a menudo y quien tiene boca se equivoca (de Twitter prefiero no hablarles). No veo remedio, salvo el recurso preventivo a la prudencia humilde. Aunque puede que toda esta palinodia sea solo también otra imbecilidad. Ustedes dirán...

Col tempo...

Lo realmente peligroso no es la facilidad que tenemos los humanos de disparatar, tanto individual como colectivamente. Lo que verdaderamente asusta es el apego entusiasta que tenemos por los disparates, no solo propios sino también ajenos. Hay personas que desconfían de su propio juicio, lo que si no se lleva hasta la exageración autoaniquiladora es recomendable, pero eligen unas cuantas instituciones o figuras públicas cuyos dictámenes aceptan sin la menor vacilación. Buscar apoyo intelectual en científicos, eruditos o especialistas es sin duda mejor que fiarnos de las opiniones que oímos en la peluquería, pero siempre que conservemos un margen de escéptica prudencia. Nuestro Baltasar Gracián advirtió que «en todas partes hay vulgo», es decir, que incluso los concilios y asambleas aparentemente más juiciosos tienen componentes de ramplonería intelectual, que a veces se imponen persuasivamente a los demás. Por ejemplo, los sabios que han recibido el Premio Nobel en disciplinas científicas, como física o medicina, pueden rebajarse a un nivel ínfimo cuando hablan de política: en sus campos específicos quieren ser juzgados según la experiencia y la exactitud, pero en temas sociales prefieren agradar a la mayoría o ganarse fama de ingeniosos. Lo que no impide que quienes los toman como referencia repitan sus bobadas con veneración: «¡Lo ha dicho un premio Nobel!». También hay ciertos dogmas más bien mitológicos que reúnen a la vez el prestigio de la ciencia y el aroma de la santidad, de modo que quien los repite (la mayoría que asegura «yo pienso...» debería decir «yo repito...») recibe el doble trofeo de pasar por ilustrado y también protector de la humanidad. Un ejemplo es el «cambio climático», invocado para explicar la lluvia y el buen tiempo, los huracanes y la calma chicha, el calor de agosto y el frío de febrero o viceversa. Un concepto complejo, que los especialistas sin afán de salir en la portada manejan con cautela, es vociferado por energúmenos que no saben ni leer el barómetro y además es pecado de lesa humanidad el discutirlo. A veces recuerdo lo que decía mi añorado amigo Javier Pradera de un «pensador» político muy reputado: «Que Fulano es tonto de remate es uno de los secretos mejor guardados de España».

Máster

14 de abril de 2018

En vista de que ya solo la gimnasia bloqueaba nuestra licenciatura, mi amigo Eduardo y yo decidimos consultar a las brujas de Macbeth.

Ahora que estamos entre conmociones y fraudes universitarios, me gustaría revelarles que nunca acabé la carrera, que todo fue una farsa y que una década después de la jubilación, puedo quitarme la máscara y sacarle la lengua al mundo. «¡Ya me parecía a mí! —dirá más de uno—, ¡es la desfachatez de los intelectuales!» Lo siento, eso sería mentir para darme importancia. Lo cierto es que me licencié, pero recurriendo a engaños. No fue por culpa de mis algaradas políticas —soy puro sesentaiocho, qué le vamos a hacer— ni por mi poca afición al estudio, sino por una maldita asignatura que se me atascó año tras año: ¡la gimnasia! No es cosa de risa, porque uno entonces se quedaba sin el título por culpa de esa «maría» lo mismo que suspendiendo metafísica o lógica. Desde mis años colegiales supe que yo no tenía nada que ver con el plinto o las espalderas, esos instrumentos medievales de tortura, ni había nacido para trepar por una soga aun en una época feliz en la que pesaba bastante menos que ahora. Ni siquiera el potro me motivaba, pese a mi afición hípica...

En vista de que ya solo la gimnasia bloqueaba nuestra licenciatura, mi amigo Eduardo y yo decidimos consultar a las brujas de Macbeth. Nos aconsejaron que alquilásemos un par de raquetas y fuésemos unas cuantas tardes a las pistas de la Ciudad Universitaria. Nadie se preocupaba de nosotros, que paseábamos de arriba abajo, con las raquetas enfundadas, admirando sinceramente a los jugadores sudorosos y sobre todo a las jugadoras de muslos poderosos y relucientes. Después, sin haber buscado pista ni molestado al orbe con nuestra torpeza, firmábamos en la entrada la asistencia y nos íbamos al cine. ¡Habíamos hecho nuestro máster! Así aprobamos.

Col tempo...

En España la ciudadanía ha descubierto hace no mucho que trabajos académicos de tanta importancia curricular como las tesis doctorales, los títulos de máster y blasones semejantes se han falsificado y se falsifican con relativa frecuencia y bastante facilidad. Los catedráticos que pastamos en los prados universitarios lo sabíamos ya desde bastante antes. Desde que internet se convirtió en nuestra casa común, las posibilidades de plagiar, ser sustituido por un «negro», recibir ayudas de altas instancias que resuelvan tan eficaz como fraudulentamente trabas burocráticas, etc., son numerosas y muy tentadoras. No suelen recurrir a estos expedientes los que van a seguir una carrera académica (en el gremio todo se sabe y no hay peor cuña que la de la misma madera), sino aquellos(as) que quieren dedicarse a la política y otros encargos de representación ante el público. Para ellos, los títulos *full* son como esas condecoraciones que se compran en el Rastro, más vistosas y refulgentes que las verdaderas, capaces de engañar a los menos exigentes y más lisonjeros de nuestros partidarios. Lo que más me cuesta entender es por qué se empeñan en exhibir esos falsos honores universitarios quienes no van a sacar ningún rendimiento profesional de ellos. Por ejemplo, en Alemania, donde son más rigurosos en este tema y ya varios cargos públicos han tenido que dimitir por plagios en sus tesis, es posible, incluso probable, que un rótulo de «Herr Doktor» sea un reclamo para los votantes y, por tanto, justifique el fraude. Pero en España..., ¡vamos, por Dios! Aquí alguien demasiado premiado por esfuerzos intelectuales puede hasta ser sospechoso de ineficacia. «Para poco servirá —piensa el receloso votante— si ha tenido que dedicarse toda su vida a estudiar». Otra cosa sería verle al volante de un deportivo, con una bella del cine o la buena sociedad al lado, frecuentando lugares envidiables que el vulgo no puede pisar y que desde luego no son universidades. Eso le ganará enemigos, desde luego, junto a muchos partidarios, pero nadie que le compadezca. Quizá por eso los políticos españoles actuales (no fue así ni mucho menos en el franquismo y tampoco en los primeros tiempos de la Transición) son tan huérfanos de reconocimientos académicos... auténticos. A esa inopia en Europa no nos gana nadie.

Prehistoria

19 de mayo de 2018

Encontraron un hombre que parecía un vasco de raza muy pura. La prueba de identidad que faltaba para reclamar el derecho a decidir... ¡El Homo peneuvensis!

Sin menoscabo de las novelas históricas, prefiero las prehistóricas. Pongo por encima de todas (no cuento el Génesis, demasiado edificante para mi gusto) la incomparable *Antes de Adán* de Jack London, que nos revela por qué algunas noches, en duermevela, sentimos en el epigastrio una sensación como de caída que nos sobresalta. También aprecio mucho *Los herederos* de William Golding, que cuenta cosas indispensables sobre el matriarcado atávico que vuelve a ponerse hoy de moda. Pero las más simpáticas me parecen las de J. H. Rosny. De las dos más destacadas, *El león de las cavernas* y *La guerra del fuego* (sobre la que hizo una película Jean-Jacques Annaud), leí en mi adolescencia ediciones ilustradas que guardo como tesoros y recuerdo como felices pesadillas. J. H. Rosny fue el seudónimo de dos hermanos belgas de finales del XIX, pioneros de la ciencia ficción como Julio Verne o H. G. Wells, pero sobre todo fascinados por la prehistoria con más imaginación que rigor académico. Acaba de aparecer en la editorial francesa Hélios una recopilación de sus textos breves ambientados en siglos remotos, llenos de uros, mastodontes y leones de las cavernas en lucha contra los humanos aún en fase de rodaje.

En *Un cementerio de mamuts*, unos cazadores modernos descubren en el gran norte una tribu que vive como en tiempos prehistóricos, alimentándose de la carne de grandes bestias conservadas en los glaciares. Pero también dentro del hielo hay un antepasado humano, al que veneran como Padre de los Hombres. ¿Cómo era? «Ni negro ni amarillo... ni ario ni semita... El hombre prehistórico se parecía muy exactamente a un vasco, a un vasco de raza muy pura...». ¡Ahí está! La prueba de identidad que faltaba para fundar el nuevo Estatuto y reclamar el derecho a decidir... ¡El *Homo peneuvensis*!

Col tempo...

Yo creo que en sueños todos visitamos las eras prehistóricas, tanto la nuestra biográfica como las de la humanidad. Precisamente Jack London plantea *Antes de Adán* como una especie de sueño atávico, un sueño que, en vez de servir para predecir el futuro como otros célebres, nos revela cómo fue la vida de nuestros ancestros en el remoto pasado. Mientras que cualquier incursión en el futuro es inquietante, porque aunque revele conquistas y progresos nunca deja de insinuar amenazas de las que no podemos estar seguros de salir con bien, visitar el pasado (por peligroso y atroz que haya sido) resulta tranquilizador: de eso ya hemos escapado. Las fieras y catástrofes que deben inquietarnos son las que nos esperan mañana, mientras que los peores monstruos del ayer ya no pueden hacernos ningún daño. Supongo que ese es el mecanismo terrorífico de las películas que hacen aparecer en medio de nuestro presente urbano alguna bestia de tiempos remotos: lo que creíamos parte del pasado vuelve a estar presente y amenaza nuestro futuro. En la columna que estoy comentando hablo de varias de mis novelas prehistóricas favoritas, pero olvidé injustamente mencionar los tebeos de Turok el indio, que corre aventuras en una reserva prehistórica llena de peligros. Tampoco hablo de *El mundo perdido* de sir Arthur Conan Doyle, con sus exploradores que viajan por el espacio pero hacia el pasado, y alguna narración de Maurice Renard, como «Las vacaciones del señor Dupont», donde es el pasado el que visita a nuestros contemporáneos. Y por supuesto, ya que hablamos de aficiones inconfesables, debería haberme acordado de las películas ambientadas en la prehistoria como *Hace un millón de años*, con una Raquel Welch espléndida en un modelito *ad hoc* insuperable, *Cuando los dinosaurios dominaban la tierra*, *La tierra olvidada por el tiempo* y la que más me gusta de todas: *King Kong* (la clásica, claro). En cuanto al capricho de los nacionalistas vascos de ser más prehistóricos que los demás... pues en fin, sí, a veces lo parecen...

Plegarias

26 de mayo de 2018

Rezar es establecer una relación personal con la divinidad, sea para alabarla, para hacerle súplicas o para quejarse de desdichas.

El esforzado Willy Toledo se resiste a presentarse ante el juez para responder de unos cuantos desahogos excrementicios sobre Dios, la Virgen y no sé si alguna otra figura del coro celestial. Lástima que este muchacho (mi provecta edad me permite tratarle cariñosamente así) sea tan escasamente sutil en sus rebeldías, porque está perdiendo la ocasión de plantear públicamente una cuestión legal bastante más subversiva que una simple sarta de groserías, que solo atentan contra la buena educación. ¿Dónde está Willy? Pues insistiendo en que sus exabruptos no son delitos, dado que le ampara la libertad de expresión. Lo cual no es concluyente, porque la libertad de expresión tiene límites como cualquier otra libertad cívica, faltaría más. Solo le queda añadir esa otra bobada que ahora gusta tanto, la de que es un artista y, por tanto, provocador... Y sin embargo, ya ven, creo que este chico malo tiene razón en proclamar que no ha cometido falta ni delito. No porque le ampare la libertad de expresión, sino porque puede acogerse a la libertad de conciencia y religión.

En una democracia laica, es decir, respetuosa de todas las manifestaciones religiosas, no solo deben tolerarse los cultos que veneran a las deidades sino también los que las maldicen y desafían. Nietzsche figura ya en la historia del cristianismo no menos que Tomás de Aquino...

Rezar es establecer una relación personal con la divinidad, sea para alabarla, para hacerle súplicas o para quejarse de desdichas. De modo que la blasfemia también es una forma de oración, como supuso Unamuno y confirma la razón desprejuiciada. No es menos raro creer que podemos ganarnos el favor divino con halagos que suponernos capaces de ofenderle con palabrotas. ¡Libertad de cultos! Y no sabemos qué divierte más a Dios...

Col tempo...

Como me tengo —quizá soy demasiado optimista— por un espíritu libre, estoy a favor de la blasfemia. A mí me sale naturalmente en ciertos momentos apasionados; por ejemplo, en el frenesí erótico. O en esas ocasiones en que realmente no se sabe qué decir frente a un suceso que nos desafía pero callarse resulta humillante: ante la agonía irremediable del ser muy querido o la inminencia (más soportable, porque no creemos en ella) de la muerte propia. La blasfemia pertenece al género de la poesía religiosa y los místicos son quienes la manejan con mayor sutileza, aunque normalmente solo los inquisidores se dan cuenta de ello. A veces es un modo de protestar contra la timidez de Dios al ejercer sus funciones. Me explico: para aceptar la necesidad del orden natural, el hilo de causas y efectos que estudian las diversas ciencias, la verdad del dos y dos son cuatro que es sólida como un muro contra el que se estrella la dura cabezota del hombre del subsuelo del que habló Dostoievski..., para ver cómo se cumplen esas evidencias no necesitamos la majestad de Dios. Si todo es como la triste experiencia del pasado nos obliga a suponer, si los ambiciosos despiadados y los astutos estafadores lograrán aprovecharse del poder para esquilmar y someter a la mayoría como siempre ha sucedido, si los niños huérfanos sin recursos terminarán víctimas de crímenes o cometiéndolos como ya nos han contado, si quien padece un glioblastoma múltiple en el cerebro morirá sin remedio después de sufrir mucho porque esa enfermedad es incurable..., entonces ¿de qué nos sirve decir que esa es la voluntad de Dios, a la que el audaz Spinoza llamó «asilo de la ignorancia»? El único Dios que se ganaría inmediata e inevitablemente nuestra veneración, Aquel contra el que no podríamos decir ni una palabra fuera de tono, es el Dios que camina sobre las aguas y nos lleva con él pese a que temblamos de miedo al recordar que bajo nuestros pies mojados se abren los abismos y las fauces de los monstruos marinos. Ese Dios que dice la palabra que resucita, como en *Ordet* de Dreyer: el Señor de lo imposible que nos salva de lo necesario.

Si Dios quiere lo irremediable y lo irremediable nos condena, el ser pensante —no meramente creyente— no puede querer a Dios. Si es de sangre caliente, blasfemará; si es más templado, se encogerá de hombros. Pero ¿no es encogerse de hombros también una blasfemia, aunque más educada y algo más cínica que las del bueno de Willy Toledo?

Derrota

2 de junio de 2018

Bien pensado, quizá salga más barato luchar un poco más hasta vencer mejor...

Todos los antiseparatistas (nada de «unionistas», no queremos que se una lo separado sino que no se separe lo unido) estamos en deuda con Quim Torra: es el adversario ideal, porque expresa su ideología de manera tan obscena que escandaliza hasta a quienes la comparten. Y además revela crudamente lo que subyace tras las fórmulas más sofisticadas y bonachonas con que suele envolverse el retortijón separatista. Con la misma nitidez y burricie se expresó en su día Sabino Arana, por lo que hoy sus hijos políticos veneran su nombre pero no se atreven a citarle jamás. A veces le disculpan diciendo que eran «ideas de aquella época», como si todos sus contemporáneos hubieran pensado igual o como si hoy todos debiésemos compartir la caca mental de nuestro coetáneo Torra. Conviene recordar que las razones del separatismo se maquillan pero no mejoran. Y que siempre fueron y son profundamente reaccionarias, sea que perviertan traidoramente las instituciones democráticas como en Cataluña, o que traten de convertir la enésima carlistada en guerrilla de liberación, como ETA.

Ahora algunos vocean la derrota de ETA militar, que es cierta, tratando de disimular que ETA política sigue vivita y coleando, beneficiándose de un trato de favor de las instituciones democráticas y aprovechando las conquistas ensangrentadas obtenidas en el espacio cívico, el lenguaje político y la propaganda. No, no era el único final posible ni el mejor imaginable. Antes de unirse al coro triunfalista, lean el demoledor documento *La derrota del vencedor*, de Rogelio Alonso. Y estén atentos al nuevo estatuto vasco que preparan los nacionalistas (con sus efectos colaterales en Navarra): ahí podremos leer cuánto debemos pagar aún por la «victoria» que ya tanto nos ha costado. Bien pensado, quizá salga más barato luchar un poco más hasta vencer mejor...

Col tempo...

El conflicto con los llamados «nacionalismos» tanto en España como en Europa es en realidad cuestión de *separatismo*. Sea en España o en Europa, los separatistas (de izquierdas o derechas, hay ejemplos de ambas tendencias) se consideran un grupo humano especial, marcado por factores lingüísticos, étnicos, religiosos, etc., que les autorizan a reclamar un trato especial dentro de un Estado o una federación internacional. No reconocen una ciudadanía igual a la de los demás: la igualdad les molesta, iguales solo son entre ellos, no con los otros, tanto si han estado vinculados por siglos a ellos como si deben compartir nuevas asociaciones internacionales recién acordadas. Es inútil que se les recuerde que la modernidad política se basa en instituciones que tienden a reconocer derechos y deberes universales, desligados de etnias, géneros, dogmas, etc. Para ellos lo que cuenta no es la igualdad ante la ley, la antigua y venerable *isonomía* griega, pues verse igualados con otros ciudadanos que hablan otra lengua, tienen distinto aspecto físico o diferentes cultos les parece humillante, esclavizador. Lo que cuenta no es la igualdad sino la *identidad*, la suya propia y sobre todo excluyente, cuyos requisitos y marcas distintivas son también ellos los únicos que pueden determinar. Todo separatista lo primero que establece es una oficina que dispensa certificaciones de identidad: contra herejes, mestizos, inmigrantes, traidores... En los separatistas se da una detestable combinación de narcisismo y egoísmo: están enamorados de su propia imagen, de parecerse tanto a sí mismos, de la comodidad del «ser de los nuestros», de darse unos a otros lo que Nietzsche llamó «el calor de establo» que el ganado dispensa a los compañeros de pesebre (esto en cuanto al narcisismo), pero también buscan crudamente su provecho propio, aprovecharse de los deseos de estabilidad y normalidad de sus conciudadanos (a los que ellos no reconocen en el fondo como tales) para esquilmarles toda la parte del pastel social que puedan acaparar (siguiendo el lema: «Lo nuestro es nuestro y lo demás a medias... por lo menos»). La incesante apetencia de ventajas económicas y privilegios legales que los nacionalistas vascos y catalanes muestran a la hora de vender su apoyo al Gobierno del país (a veces traicionero, como en el caso del PNV en la moción de censura contra Rajoy, que cesó una vez cobrado el precio) demuestra que no hay separatismo desinteresado. La identidad es una condecoración honorífica, pero también un negocio. Y a veces origen de crímenes, como ha ocurrido en el País Vasco y algunos quieren olvidar.

No, papá

14 de julio de 2018

Uno de los más importantes objetivos de la educación es que los niños conozcan las alternativas que existen a los prejuicios de sus padres.

Bastó que la ministra portavoz del Gobierno hiciese una mención de pasada a recuperar como asignatura obligatoria de bachillerato la educación para la ciudadanía para que los guardianes de las esencias sacras alzaran a los cielos su clamor: ¡pretenden imponer una ética de Estado! ¡Van a impedir que los padres elijan los valores en que educar a sus hijos! Creo que uno de los más importantes objetivos de la educación es que los niños conozcan las alternativas que existen a los prejuicios de sus padres. Sobre todo en el campo de los valores cívicos: educamos para vivir en sociedad, no solo en familia. En democracia, las leyes liberan y las tradiciones y costumbres esclavizan. Algunos padres pretenden que sus hijos tengan los pecados de la religión familiar por delitos públicos y que abominen de cuanto se sale de la ortodoxia católica, musulmana, feminista y restantes jaulas dogmáticas. Sería preciosa una asignatura que permitiese a cada cual elegir su perfil cívico desde preferencias razonadas que no descartasen las tradiciones morales pero sin doblegar la individualidad ante ninguna de ellas.

Lo difícil es establecer el contenido de esa asignatura imprescindible. Tendría que ser igual en todo el país, porque explicar que no hay ciudadanías distintas según los territorios es la lección primera del temario. Y debe combatir altos sofismas, tipo «la legalidad va por un lado y la política, por otro» (imaginen esta variante en boca empresarial: la legalidad va por un lado y los negocios, por otro). O aclarar que la Constitución puede ser modificada pero no desobedecida. Y que si la justicia es «de género», o «de raza», o «de clase», deja de ser justicia para ser justificación. En fin: ¿quién enseña a los maestros lo que debe ser enseñado? Desde luego, los padres no.

Col tempo...

Pues no, los niños no son propiedad de los padres. Me alegro por una vez de poder darle la razón a la ya exministra Celaá en esta afirmación obvia y básica que ha despertado una ola de indignación ciclópea, como si pusiera nuestras escuelas e institutos a las órdenes de Pol-Pot. No sé quiénes son más de temer, si los que dócilmente le dan la razón al Gobierno aunque se equivoque o los que reniegan y maldicen contra él aunque acierte. En este caso, la afirmación de Celaá (que varios hemos hecho antes) no merece ser escupida sino completada: los niños no son propiedad de sus padres, ni del Estado, ni de la Santa Madre Iglesia, ni de ningún partido progre o reaccionario. No son propiedad de ninguno de esos que aceptan la difícil tarea de colaborar a educarlos. Cualquier adulto que con buena fe y maneras civilizadas pretende enseñar algo a los pequeños es digno de encomio. Pero nadie puede reclamar el monopolio de esa tarea. Los padres tienen prioridad de hecho porque están desde la cuna junto a los alumnos y, por lo general, cuentan con un plus afectivo que favorece la tarea de transmisión cultural. Serán los primeros ejemplos, es decir, los modelos a imitar. Pero los niños deben ser preparados por maestros profesionales no para vivir eternamente en su círculo familiar ni en una tribu identitaria, sino en una sociedad más bien plural, aunque con principios comunes de moralidad y decencia generalmente compartidos. Es inobjetablemente bueno que el neófito conozca las normas establecidas y que aprenda a distinguirlas de los caprichos disidentes, aunque sean los que prevalecen en su familia. Educar no consiste en modelar al niño de riguroso acuerdo con su núcleo social primario, sino en ofrecerle otras posibilidades en ciertos aspectos sin burla ni detrimento de lo que prefieren sus mayores. Recordemos el sabio consejo de un obispo del siglo XVII, tan opuesto a la intransigencia como al relativismo vacuo: «Unitatem in necessariis, in non necessariis libertatem, in omnibus caritatem».

Zapatos

13 de octubre de 2018

Cada par lleva un breve rótulo: «Gastados y tristes, como mi vida», «Siguieron caminando, a pesar del barro», «Aunque no lo parezca, bailaron», «Con ellos corrí lejos».

Estuve en Doncaster hace poco para asistir al St. Leger, la única de las clásicas del *turf* inglés que me quedaba por ver. Por la mañana, haciendo tiempo hasta la hora del hipódromo, fui a visitar la catedral. Más allá de las creencias de cada cual, debemos reconocer que los edificios civiles más hermosos de Europa son siempre iglesias: por su arquitectura, por su decoración artística y por el espíritu transtemporal que reina en ellas. También son lugares democráticos, palacios suntuosos donde todos somos príncipes, como hijos del Rey de Reyes. Esta catedral de San Jorge se levanta donde estuvo el asentamiento militar romano de Danum, origen de la ciudad. Luego fue iglesia cristiana primitiva, castillo normando y, después de la Reforma, iglesia mayor de la región, destruida a mediados del siglo XIX por un incendio. Entonces se levantó la actual, una preciosa muestra de neogótico victoriano. Tiene refinadas vidrieras, uno de los mayores púlpitos de Inglaterra, un magnífico órgano de cinco teclados y un gran reloj en lo alto de su torre, construido por la misma compañía que instaló el Big Ben. Me emocionaron las placas que honran a los Dragones de Yorkshire caídos en las dos guerras mundiales: ¡tantos dragones venerados en la casa de san Jorge!

En una capilla está la bella pila bautismal, de piedra serpentina de Cornualles. Al lado, una mesa alargada llena de zapatos usados. Es iniciativa de Walking in Their Footsteps, una asociación de mujeres maltratadas. Cada par lleva un breve rótulo: «Gastados y tristes, como mi vida», «Siguieron caminando, a pesar del barro», «Aunque no lo parezca, bailaron», «Con ellos corrí lejos»... Dolor y coraje: ¡con dos zapatos! La ferocidad del dragón, el heroísmo de Jorge... y la determinación de la princesa.

Col tempo...

De todos los testimonios que conozco de maltrato a mujeres, alguno incluso de boca de las propias víctimas, ninguno me ha impresionado tanto como ese montón de zapatos desordenados en el marco augusto de la catedral de Doncaster. Al verlos y leer sus escuetos mensajes, volví a recordar aquellos versos virgilianos, quizá los más hermosos y profundos del poeta de Mantua: *Sunt lacrimae rerum, et mentem mortalia tangunt* (*Eneida*, I, 462). No soy experto en latín clásico y no entraré a discutir con los sabios la mejor traducción a nuestra lengua de este fragmento. Para mí significa que las cosas atesoran y repiten las lágrimas que vertimos junto a ellas y de ese modo conmueven nuestro corazón al representar nuestra fragilidad mortal. El drama de la vida es más intenso cuando prescinde de declamaciones o de exabruptos desesperados y se muestra en su humilde abandono. También en mi visita a Auschwitz pude comprobarlo: entre tantos restos abrumadores, la atención a veces se fija en algo minúsculo, tangencial, y allí se rompe desconsolada. Los zapatos son parte básica de nuestro confort cotidiano: a veces se convierten en emblema de la alegría («estar contento como un niño con zapatos nuevos») y otras en testigos de una caída en la desgracia que no merecemos, que nadie merece. A veces la vida familiar transforma el ámbito amoroso en infernal: he vivido lo suficiente esas situaciones como para no enorgullecerme de nada ni apresurarme a lanzar condenas definitivas contra nadie. Mi pensamiento es muy tradicional: creo que los hombres debemos disfrutar haciendo gozar a las mujeres, defenderlas y admirarlas. Luego está la locura, el arrebato del miedo a nuestra deficiencia, la demanda de paraíso insatisfecha... En cualquier caso, la brutalidad masculina contra lo femenino es injustificable y de eso se quejan silenciosamente esos zapatos que se apilan como exvotos bajo la bóveda de la catedral, esperando el milagro que nos reintegre a una vida mejor.

Filósofos

17 de noviembre de 2018

Hay quien dice que la filosofía enseña a pensar, como si los que no la han estudiado no pensaran o pensaran mal.

Todos, desde el conjunto de los parlamentarios hasta la gente de la calle, han celebrado que la filosofía vuelva al bachillerato. Para que luego digan que esa venerable tradición no cuenta con simpatías en el acelerado mundo de hoy... Eso sí, los motivos de este afecto dejan algo perplejo. Unos dicen que la filosofía enseña a pensar, como si los que no la han estudiado no pensaran o pensaran mal. Pero resulta que todos pensamos, filósofos o no, porque no nos queda más remedio: somos animales racionales, fue un filósofo quien lo dijo... El carpintero piensa bien para fabricar una mesa correcta, el payaso para hacer reír, el asesino para matar como es debido... En su tarea, la filosofía les es poco útil, porque no enseña a pensar lo que hacemos sino lo que somos y cómo entenderlo, aunque sea irremediable. Compuesta de preguntas y de respuestas tentativas que las empeoran, es muy distinta al libro de autoayuda. Y los que afirman que sirve para criticar al poder deben hacérselo mirar, como decimos en Cataluña: será, en todo caso, para definirlo y recomendarlo. ¿La filosofía, manual del guerrillero? ¡No te rías, Platón!

Apuntemos un peligro, que no la hace dañina sino más interesante. A diferencia de la ciencia, que se sustenta en pruebas, la filosofía funciona con argumentos, nunca definitivos. Persuadir, no demostrar. Y tiende a la genialidad en el mejor de los casos, pero al delirio en los peores. Jean-François Braunstein ha escrito sobre esto en *La filosofía se ha vuelto loca* (Editorial Ariel), analizando delirios sobre el género, el animalismo y la eutanasia. Los amigos de la filosofía deben leerlo y procurar que no lo lean los legisladores poco imaginativos, por si nos dejan otra vez sin ella... Hay amores que matan cuanto ignoran.

Col tempo...

Veremos —si los mejores pronósticos se confirman y llegamos a verlo— cómo funciona la filosofía en bachillerato. La verdad es que depende de cómo se enseñe: es algo que ocurre con casi todas las asignaturas, pero en la de filosofía es donde más se nota. El peligro reside en tratar de hacer de la filosofía algo «actual», o sea, un remedio para perplejidades del día de hoy... que serán sustituidas por otras mañana por la mañana. Pero, como señaló Adorno, la filosofía sigue siendo necesaria porque no sirve para nada... inmediato. Lo más interesante sería que a través de ella los neófitos aprendieran a manejar conceptos, es decir, a pensar de modo abstracto y no vinculado directamente con la solución (o disolución) de problemas actuales. Pensar filosóficamente es lo contrario de lo que solemos llamar «urgencia»: quien tenga mucha prisa por salir de dudas, que se compre un bólido... Desde luego, la filosofía no «enseña a pensar», como dicen los despistados; más bien al contrario, son las personas capaces de pensar por sí mismas las que acaban haciéndose preguntas filosóficas, aunque no las enfoquen académicamente. La verdad es que algunos representantes profesionales de la filosofía en nuestro país parecen empeñados en zapar su popularidad entre la ciudadanía: los que se han dedicado a ocupar cargos políticos no lo han podido hacer peor y otros, aún más dañinos, se han dedicado a avalar con su dudoso magisterio los movimientos populistas menos recomendables. A su lado, hasta Heidegger parece un pensador políticamente prudente... Que se considere filósofos en cualquier sentido cuerdo de la palabra a los charlatanes de las doctrinas *trans*, *queer*, partidarios de la autodeterminación de género y demás delirios al uso es como para quitarle a uno las ganas de intentar filosofar. Lo último que he oído sobre el tema viene de un mentor ideológico del churrigueresco Centro de Nuevas Masculinidades del Ayuntamiento de la otrora culta Barcelona: «La diferencia entre hombre y mujer ya no es de aplicación». Si el temario de la asignatura va a incorporar perlas como esta, poco va a ganar la sabiduría con su regreso al bachillerato...

Alarmas

15 de diciembre de 2018

¿Extremismo antidemocrático? Eso ya estaba aquí...

Los hallazgos que más nos emocionan, para bien o para mal, dependen de la perspectiva con que enfocamos el mundo. Borges contó que un amigo japonés recordaba con entusiasmo su viaje a Irán: «¡Por fin he conocido Occidente!». Entre nosotros, muchos están sacudidos en lo más íntimo por la irrupción de Vox, que les produce los gratificantes retortijones del fascismo resucitado. «¡Ya están aquí!», como decía la niña de *Poltergeist*. Certifican el próximo final de nuestras libertades públicas, la inquisición llameante contra los disidentes, el exterminio de musulmanes y demás infieles. Las más estremecidas son ciertas feministas inflamadas, que anuncian para las mujeres un retorno cargado de cadenas al fregadero y la pata quebrada... en el mejor de los casos. También Pablo Iglesias ha tocado a rebato, cómo no. Llegan tiempos *gore*, dejen de bostezar.

Más allá de un insulto contra quien asusta o compromete nuestro cotarro, es «fascista» el que pone su identidad étnica por encima de la ley y coacciona de cualquier modo a sus chivos expiatorios, los que no la comparten. Por ahora, Vox no ha ejercido ni preconizado esos malos modos contra los que no comulgamos (¡ejem!) con su ideario. Lo hacen en cambio de forma tumultuosa los CDR y la CUP en Cataluña, con pertinacia admirable si se aplicase a otras cuestiones. Y desde luego la receta se empleó en Euskadi de forma sanguinaria, aún no condenada por los que ahora representan políticamente ese ideario atroz en sede parlamentaria, con la reticente complacencia de sus primos dizque moderados. Lo cual no impide a gran parte de los ahora alarmados por la llegada de Vox pactar con ellos, disimular benévolamente sus excesos y reprender a quienes piden contundencia en vez de diálogo. ¿Extremismo antidemocrático? Eso ya estaba aquí...

Col tempo...

El extremismo en cuestiones de ideología siempre ha existido en España, al menos desde que tengo uso de razón política. Incluso creo recordar haber participado personalmente de él... Tuve un amigo —monje, por más señas— que solía decirme: «La intransigencia es una forma de salud mental». Si ese punto de vista se confirma, las recientes alarmas por el número creciente de enfermedades mentales en nuestro país están injustificadas... Me atrevo a sostener (ya ven que precauciones tomo para no resultar radical) que todos los extremismos son erróneos en lo teórico e indeseables en la práctica. Suelen basarse en un predominio del apasionamiento de la enemistad sobre la razón escéptica y tolerante. Para poder convivir con los mil matices y manías de la gente que nos rodea hay que cultivar el arte de una cortés indiferencia, lo cual es difícil en la juventud. Las personas que saben encogerse de hombros con una leve sonrisa no suelen matar a nadie... Además, el extremismo es una planta espinosa que crece por lo general con el abono de la ignorancia y el apresuramiento del juicio, lo que Flaubert llamaba «la necesidad de concluir» y a la que atribuía gran parte de nuestros males. Cuando se tiene información suficiente sobre todos los aspectos de un asunto es difícil concluir una opinión tajante, sin matices. De modo que hay razones para huir de los extremos ideológicos, aunque también es verdad que algunos los ven por todas partes y consideran «comunista» al que propone la subida del salario mínimo o «fascista» al que se opone a ella. Pero lo chocante es la diferente respuesta que obtiene la postura extremista entre quienes no la comparten, al menos en España. Por lo general, el extremista de izquierdas —aunque se le tenga por exagerado y algo peligroso— es visto como alguien generoso, amigo del pueblo y bien intencionado, mientras que el extremista de derechas es considerado como un enemigo de los derechos y las libertades, muy egoísta y muy mala persona. De ahí que la aparición de Podemos, un partido populista de inspiración castrista como otros que tanto daño han hecho en Hispanoamérica, fuese recibido como una gran esperanza para nuestro país, mientras que Vox fue visto como el retorno pavoroso de la bestia parda. Pero la sociedad, la nuestra y cualquier otra que se pretenda democrática, está compuesta de gente situada ideológicamente a la derecha, a la izquierda... y está muy bien que sea así. Lo único exigible y en lo que debemos ser intransigentes es el cumplimiento de la ley, la constitucional y las otras. Quien proponga saltarse la ley por el bien del país, sea de derechas o de izquierdas, es un enemigo inequívoco de la democracia. Y en este punto sí que me vuelvo extremista...

Traidor

22 de diciembre de 2018

Me hubiera gustado escuchar en un avión: «Por favor, abróchense los cinturones de seguridad. Dentro de pocos minutos aterrizaremos en el aeropuerto Immanuel Kant».

Me hubiera gustado escuchar en un avión: «Por favor, abróchense los cinturones de seguridad. Dentro de pocos minutos aterrizaremos en el aeropuerto Immanuel Kant». Y eso porque los aficionados a la filosofía llevamos «aterrizando» en Kant toda la vida. No hay pensador moderno más inevitable que él. Si hubiésemos elegido nombre para el aeropuerto de Kaliningrado, la antigua Königsberg, seguro que hubiese sido el suyo. Pero las autoridades rusas que hoy mandan en ese lugar no lo han querido así: consideran al pensador —a quien las vicisitudes históricas obligaron a ser prusiano, luego ruso y prusiano otra vez— traidor a un país cuya configuración actual no pudo conocer. Para los nacionalistas, su patria es eterna y eternamente amenazada, aun antes de existir. El jefe de la flota del Báltico, que es vicealmirante pero no filósofo, ha condenado al traidor Kant, «que escribió libros incomprensibles que ningún buen patriota ha leído ni leerá jamás». En esto último tiene razón, para qué negarlo.

Immanuel Kant nunca salió de Königsberg, por la que paseaba con tan puntual regularidad que sus vecinos sincronizaban los relojes con su deambular. Lúcido, audaz, pero respetuoso, nunca explicó en sus clases nada que pudiese alterar el orden, aunque siempre defendió la libertad de pensamiento. Dijo que el lema de la Ilustración era *sapere aude*, atrévete a pensar por ti mismo, y creyó que ya era hora de que la humanidad abandonase su culpable minoría de edad intelectual. En *La paz perpetua*, un proyecto político mundial idealista, pero no ingenuo, sostuvo que nuestro globo es redondo para que los humanos no nos dispersemos hasta el infinito, volvamos a encontrarnos y nos soportemos mutuamente, «pues nadie tiene originariamente más derecho que otro a estar en un determinado lugar de la tierra». Un traidor, hoy más que ayer.

COL TEMPO...

Últimamente hemos tenido en España algunos desencuentros políticos —nada raro en el país— a cuenta de los nombres que llevan ciertas calles y plazas. Siguiendo las normas de la cultura de la cancelación importada, como otras imbecilidades sofisticadas, de los USA, se ha decidido suprimir los rótulos que se refieren a personajes o hechos del «franquismo», época de tinieblas que no vivieron y, por tanto, desconocen la mayoría de los «canceladores» actuales. Así se da la circunstancia pintoresca de que se expulsa del callejero por «franquistas» a generales, políticos o intelectuales que vivieron y murieron años (a veces siglos) antes de la guerra civil que desembocó en la dictadura. Por lo visto, se trata de una categoría denigratoria de efectos retroactivos que afecta a cualquier antepasado conservador o de derechas que en España haya existido. En otros casos se trata de personas que efectivamente vivieron bajo el franquismo e incluso tuvieron simpatía por el régimen (por haber padecido durante la República o causas similares), pero que realizaron logros sociales indiscutibles que les hacen merecedores del reconocimiento público. La dictadura de Franco duró décadas y hubo gente que pasó toda su vida útil bajo ella, lo cual no quita que fueran buenos profesionales, buenos padres o excelentes ciudadanos dentro de las limitaciones impuestas por el régimen. Los que nacimos y crecimos en esas familias no pensamos consentir que se les denigre metiendo a todos en el mismo saco de carbón. Aún más, los profesores universitarios bajo la dictadura tuvimos que firmar un formulario de adhesión a los principios del Movimiento Nacional para ocupar nuestras cátedras. Era un simple trámite rutinario al que no concedíamos más que una relevancia humorística pero por el que tuvimos que pasar incluso quienes fuimos antifranquistas en una época en que resultaba más arriesgado y menos rentable que en la actual. Supongo que esa firma infamante nos invalida no solo para ver cubierto nuestro nombre de gloria sino hasta para ponérselo a una glorieta... Pero vaya usted a explicar estas rarezas históricas a los zánganos semialfabetizados que se dedican hoy a torquemaditas porque no sirven para otra cosa. ¡Ah, se me olvidaba! Immanuel Kant fue mucho más que prusiano o ruso: fue un pensador genial y libre que merece tener no solo un aeropuerto con su nombre sino un rincón privilegiado en la memoria de todos los humanos que quieren comprender algo mejor el mundo.

Familia

16 de marzo de 2019

Sin la proximidad del amor, estamos lejos de nosotros mismos.

Cuando ella llegaba a casa, nada más abrir la puerta, voceaba alegremente: «¡Familia!». Como un clarín, irónico y tierno. Desde el cuarto del fondo donde sonaba la televisión respondía su madre: «¡Hola, *m'hija*!». Y yo gruñía alegre sin apartarme del ordenador: «¡Cariño!». Entonces era como si encajasen por fin las piezas del rompecabezas de la vida y por un momento inapelable todo estaba bien. El disparate de la felicidad. Después, su madre murió y ella entraba en casa sin decir nada. Venía al cuarto donde yo tecleaba y me daba un beso ligero, con una especie de suspiro que me parecía de alivio, como si llegase después de enfrentar serios peligros. Era yo por entonces quien al volver a casa la remedaba pobremente, para no perder del todo la memoria de los momentos dichosos. Pero me salía un «¿Familia?» implorante y dudoso, que resultaba conmovedor por lo inadecuado. Lo que va de celebrar el gozo compartido a echarlo en falta, suplicando. Poco a poco, ella se acostumbró a responder «¡Aquí!» desde el fondo de la casa apagada, sin más luz que la suya. Y cuando llegaba a su lado me pasaba la mano por el pelo cada vez más escaso: «Estamos tú y yo, tonto. Mientras nos tengamos el uno al otro...».

Ella y yo, la familia escueta y completa. Porque la simple existencia —insistencia, mejor— rutinaria, biológica, necesita la presencia amada y amable para ascender a vida humana. Sin la proximidad del amor estamos lejos de nosotros mismos. Ahora ya no está. Cuando abro la puerta todo sigue apagado, se fue la luz y entro en silencio. Me daría miedo el eco de mi voz. Según Victor Hugo, todo el infierno cabe en una palabra: *soledad*. La palabra que no puede decirse en voz alta para evitar la respuesta aciaga de la oscuridad. Pasado mañana hace cuatro años.

COL TEMPO...

Esta columna fue otra de las conmemoraciones anuales que vengo publicando cuando se aproxima la fecha de la muerte de mi Sara. Para mí, no hace falta decirlo, es lo más importante que escribo en el año. Y lo más difícil. En esta ocasión tomé como eje la idea de familia, tan dramáticamente sensible para Sara desde su difícil infancia. Y también para mí, por todo lo contrario: ella añoraba la familia por los sobresaltos y dificultades que tuvo la suya; yo, por la acogedora y cariñosa perfección que conocí en la mía (he repetido muchas veces aquello que dijo Merleau-Ponty: «Nunca me repondré de mi incomparable infancia»). Para nosotros dos, con nuestras experiencias vitales tan distintas y que sin embargo nos unieron tanto, los que desprecian o trivializan la familia son auténticos enemigos de la felicidad humana. Cada mañana de verano, cuando bajo a la playa de la Concha para cumplir el ritual de mi modesto ejercicio natatorio, tengo ocasión de acordarme de mis estíos familiares y de mi madre, núcleo aglutinador de nuestro grupo feliz. En la orilla, apenas mojándose los pies, están las madres, sin quitar ojo de los niños que chapotean a pocos metros en las olitas ya rompientes. Recuerdo a la mía, con la falda remangada y un risible gorro hecho de papel de periódico para precaverse del improbable sol donostiarra. Los niños nos tirábamos de barriga en la mínima profundidad, tragando agua y arena en iguales proporciones, como siguen haciendo los más pequeños ahora. Cada poco, nos volvíamos para estar seguros de que la observación materna no decaía: hace años, Félix de Azúa publicó una deliciosa columna que a Sara le emocionaba releer, titulada «Mírame, mamá». Y sí, esa es la familia que todos necesitamos conservar, recuperar o rehacer. Nos metemos en el mar de la vida, cada vez más profundo, más oscuro y más traicionero... aunque también más emocionante. De vez en cuando volvemos la vista atrás y allá lejos, cada vez más lejos, vemos a la madre que nos espera en la orilla.

Lucifera

23 de marzo de 2019

Es tan difícil compartir las ideas extremistas de Ayn Rand, como no admirarla por su vigor en defenderlas en la novela, el ensayo y el cine.

La víspera de la *manifa* feminista decidí ponerme a tono viendo *El manantial*, la estupenda película del King Vidor. A pesar de que ya ha cumplido los setenta, se mantiene tersa y provocativa como en su estreno, gracias a las memorables interpretaciones de Gary Cooper, Patricia Neal y Raymond Massey, enmarcadas en una realización casi abstracta, que nunca deja olvidar que se trata de un filme «de ideas», una pulcramente apasionada lección de filosofía. Para defender el individualismo radical como la fuerza motriz del creador, contra cualquier concesión a lo gregario, al aplauso colectivo, incluso al interés público. No es una elemental apología del capitalismo, porque condena a quienes se enriquecen halagando el gusto de la masa y propone un héroe que prefiere trabajar como peón antes que someterse al juicio vulgar que solo valora lo rutinario y tópico. La heroína repudia a los hombres por su falta de integridad, pero de este le asusta la exigencia de la suya. La última escena es una apoteosis romántica del egoísmo racional.

La película se basa en la novela de Ayn Rand, también autora del guion. Fue una judía rusa nacionalizada americana, polemista bravía contra el altruismo y cualquier sumisión colectivista. Ninguna escritora del siglo pasado fue tan influyente en EE. UU., maestra de Alan Greenspan y del inventor de Wikipedia, entre otros muchos que luego la repudiaron, asustados por su personalidad dominante, abrumadora. Es tan difícil compartir sus ideas extremistas como no admirarla por su vigor en defenderlas en la novela, el ensayo y el cine. Una diablesa, cuyo lema pudo ser: *non serviam!* La imagino el Día de la Mujer separada de todas, haciendo la higa a tantos colectivos a cual más pringoso, negándose a marcar el paso con el conformismo triunfante.

Col tempo...

Poco después de publicada esta columna, aparecieron (o reaparecieron) traducciones de las principales novelas de Ayn Rand que resultan sin duda instructivas pero que son tan entretenidas como una guía de ferrocarriles escrita en cirílico. Y sin embargo han sido *best sellers* en su día y hoy siguen siendo *long sellers* que no dejan de ser buscadas por renovadas falanges de curiosos o conversos. No son libros para disfrutar, sino para aprender una nueva fe, un culto que borra con atrevimiento insólito siglos de solidaridad y apoyo mutuo. Para Ayn Rand, las personas compasivas que creen obligado sacrificar parte de su tiempo y sus recursos en ayudar a otros son como quienes suministran más y más droga a los adictos para mitigar sus quejas por el síndrome de abstinencia. Estos supuestos bienhechores, creyendo ayudar a los dolientes, lo que consiguen es prolongar su esclavitud a lo que los subyuga y de paso debilitar a la sociedad con una carga indeseable y a sí mismos con un falso compromiso redentor. Para Ayn Rand, el individuo en la sociedad (no me atrevo a llamarle «individuo social») será tanto más beneficioso en lo general y en lo particular cuanto más viva para sí mismo. Solo los que no comprenden el daño del parasitismo favorecen caritativamente a los parásitos o, aún peor, reclaman un Estado cada vez más omnipotente que ofrezca su prótesis obligatoria a todos los mutilados por la vida. En este punto, la utopía egoísta de Ayn Rand coincide en un aspecto importante con el mundo feliz comunista: ambos, cada cual a su modo, resultan imposibles de realizar porque contrarían aspectos fundamentales de la psicología humana. Ni es posible para un ser cuyo origen y destino es la interrelación con otros vivir dedicado a las cosas e ignorando las demandas de sus semejantes, ni puede borrar su iniciativa creadora y su ambición de excelencia para convertirse en simple pieza de un mecanismo total. Ayn Rand escapaba de un experimento social fallido y criminal en la Unión Soviética, pero propuso una alternativa que de realizarse al pie de la letra no hubiera hecho felices ni a sus beneficiarios. Al final de su vida, enferma de cáncer, no tuvo más remedio que buscar un seguro sanitario. Pero sin duda fue una mujer distinta y única, una advertencia para quienes hablan de «las mujeres» como si todas pensaran lo mismo.

Tebeos

30 de marzo de 2019

Tengo más en común con los frikis adolescentes del manga que con los sesudos coetáneos que comparten mis opiniones sobre el Brexit o el procés.

Pasé por el Salón del Cómic que por tercer año estuvo en San Sebastián. Debo ser el aficionado de más edad que acude a esa muestra, donde se acumula la mayor oferta de cómics, videojuegos, muñecos de todos los tamaños y muecas, anillos, varitas mágicas, espadas y disfraces para convertirse en Batman o Saruman. También hay actividades complementarias, desde una jornada dedicada a los zombis (la de mayor éxito, a todo el mundo le gusta hacer de muerto viviente... porque nunca jugamos a otra cosa) hasta partidos de quidditch en la playa de la Zurriola, talleres de maquillaje, vídeos de mangas japoneses... A mí son los cómics lo que más me gusta, aunque no los llame así, ni mucho menos «novelas gráficas», sino tebeos, como toda la vida (mi vida). Ya no encuentro en ellos personajes familiares como el Capitán Trueno, el Jabato, Hopalong Cassidy o el Hombre Enmascarado, pero puedo acostumbrarme a sus herederos sin demasiados sobresaltos. A pesar de preferir lo imaginario siempre, también disfruto con el minucioso hiperrealismo de *El tesoro del Cisne Negro* (Astiberri Ediciones) de Paco Roca y Guillermo Corral, una joyita de la línea clara...

Tras el precipicio del tiempo, pertenezco a este mundo. A pesar de lo lejos que quedan mis tebeos, ya desaparecidos de los quioscos, tengo más en común con los frikis adolescentes del manga y las consolas que con los sesudos coetáneos que comparten mis opiniones sobre el Brexit o el *procés.* Pulula por este Salón un simpático desfile de disfraces imposibles, orcos, brujas, vampiros, soldados del Imperio, *superwomen...* Cada cual lleva la máscara de su ídolo como una penitencia indolora. Yo detesto mi disfraz, pero sé que no hay ninguno más impenetrable: transformado en viejo, estoy seguro de engañar a cualquiera.

Col tempo...

A mí me han gustado y me siguen gustando los tebeos. Nunca seré de esos «ilustrados» (?) que hablan de que una vez, en un pasado ingenuo y remoto, leyeron tebeos, novelas de Salgari o cuentos de hadas. «Así me aficioné a la lectura», aseguran con un tonillo de nostálgico desdén, dejando implícito que los más altos designios nacen a veces en humildes cunas. Son los mismos que frecuentemente proclaman estar «releyendo» a un clásico —sea Swift, Baudelaire o Alexander Pope— del cual en realidad apenas habían oído hablar hasta que fue mencionado con motivo de su centenario en un suplemento cultural. Benditos gilipollas. No, yo sigo enganchado a los tebeos casi como a los ocho años y en cambio no pienso acabar *En busca del tiempo perdido* o *El hombre sin atributos* ni en mi lecho de muerte. Es cierto que ahora ya no tengo a mi alcance los cuadernos semanales de *El Capitán Trueno* o *El Jabato.* Para mí nada ha cambiado tanto en los quioscos de prensa como la desaparición de la panoplia de tebeos, lo que invariablemente más me atraía de ellos (con la gloriosa excepción de los italianos, donde se siguen encontrando Dampir, Dylan Dog o Martin Mystere, de la benemérita empresa de Sergio Bonelli). Pero he aprendido a surtirme de viñetas por otras vías, acudiendo irremediablemente a las ofertas de la red. Así he recuperado a Mandrake, al Hombre Enmascarado y he conocido las pavorosas creaciones de Richard Corben, el que mejor (con Alberto Brescia) ha reinventado para nosotros sus fanáticos las imágenes del culto lovecraftiano. Los tebeos no son una simple introducción a la lectura «seria», como el cuaderno de letra redondilla lo era a las primeras redacciones (perdonen estos anacronismos, soy un monstruo de tiempos remotos); son un mundo diferente, otra ventana a lo irreal e incluso a lo real, una mina de personajes insustituibles que no solo podemos ver a través de nuestra imaginación, sino también mirar gracias a la fantasía gráfica de otros.

Siniestros

8 de junio de 2019

Hay quienes aplican su ignorancia, arrogancia y ganas de epatar al terrorismo en el País Vasco, donde ya hemos sufrido lo nuestro.

Conocí a Alain Badiou por un librito sobre ética para una colección de iniciación filosófica. Allí sostenía que la ética se revelaba como la decisión en momentos cruciales y proponía a los guardias rojos de Mao como ejemplos virtuosos. Reconozco que después de esa primera revelación he frecuentado poco a este autor. De Toni Negri recuerdo las divertidas imitaciones que hacía Leonardo Sciascia de sus viajes compartidos en tren, cuando Negri le advertía que tuviese cuidado de no tropezar con su maleta porque llevaba explosivos. Entre bromas y veras, Negri pasó años en la cárcel por terrorismo, aunque yo creo que sus peores delitos fueron los libros que escribió. Ahora, Badiou, Negri, Jacques Rancière, Étienne Balibar y dos o tres *gros légumes* semejantes han publicado en el diario *Libération* una doble página en apoyo a Josu Ternera, cuya detención les parece un atentado a la paz obtenida gracias al coraje y generosidad de ETA. Preocupados como estamos por la sífilis ideológica contagiada por Steve Bannon y Donald Trump, nos olvidamos de esas otras gonorreas ilustres (no ilustradas) que tanto han enseñado a nuestros filósofos anticapitalistas locales. Y que hoy aplican su ignorancia, arrogancia y ganas de epatar al terrorismo en el País Vasco, donde ya hemos sufrido lo nuestro...

Más que de izquierdas, son siniestros. No les interesan las víctimas salvo si las causan bombardeos yanquis. Y, por supuesto, una democracia *española* les parece tan inverosímil como un torero alemán. Como son filósofos, y se supone que la filosofía aumenta el espíritu crítico, sobre todo si se ejerce contra el «poder», los sumisos a la rebelión establecida seguirán venerándolos. Pero ya nos advirtió Gracián: «Sépase que en todas partes hay vulgo». Y en la Alta Filosofía francesa actual, ni les digo.

Col tempo...

No deseo a nadie, desde luego, pasar por las penalidades que hemos padecido en España, y especialmente en el País Vasco, por culpa del terrorismo de ETA, una banda asesina cuya ideología es básicamente el separatismo vasco racista de Sabino Arana mezclado con un marxismo simplón. Baste decir que la actividad criminal y extorsionadora de ETA estuvo a punto de hacer fracasar la transición a la democracia, justificando un golpe de Estado militar. Pero de las peores circunstancias se pueden sacar lecciones provechosas si uno está en la disposición debida. En mi caso así fue, sin duda. Al acabar la dictadura yo era un «progre» universitario de corte clásico, sin afiliación comunista ni mayor simpatía por ella, pero con todos los dogmas de bolsillo que se llevaban en la época de Marcuse, el Berkeley *hippie*, Mayo del 68 y *tutti quanti*. No era el más tonto de la clase, porque había cada elemento..., pero tampoco era capaz de ver a través del agua turbia. Sobre todo, tenía la fe del carbonero en la izquierda: allí estaban la verdad política y el bien social, aunque a veces se habían cometido atropellos y errores de interpretación. Por supuesto, la gente entre la que me movía, los amigos mayores a los que respetaba, los compañeros de generación, etc., todos eran de izquierdas o yo me los imaginaba así. Ser de izquierdas era *lo normal*, lo recomendable. De la derecha en cambio no podía venir nada bueno ni por casualidad... aunque la gente de más calidad humana e integridad que conocía (mis padres, mi abuelo...) eran precisamente más bien de derechas. Y así hubiera seguido tras la muerte de Franco y la llegada de la democracia (que como era algo bueno también tenía que ser de izquierdas) si no hubiera sido por lo que aprendí en el País Vasco bajo la violencia terrorista. Primera lección: hay casos en los que quienes se proclaman de izquierdas encarnan el matonismo criminal, la intimidación y la extorsión sin dejar de llamarse «liberadores del pueblo oprimido». Finalizada la dictadura de derechas, ya teníamos encima otra de signo opuesto, pero sin remilgos legales de ninguna clase y con métodos aún más expeditivos que el franquismo. Al comienzo, los pocos ciudadanos que protestamos contra el terrorismo éramos gente de la izquierda antifranquista, que tratamos de movilizar a los extranjeros de ideología progresista para que apoyasen nuestra resistencia. Con cierta perplejidad vimos que la mayoría de esos supuestos aliados se tragaban sin rechistar la bazofia ideológica de los separatistas (encajaba con su idea prefabricada de un pueblo indígena luchando contra su potencia colonial) y nos consideraban poco menos que herederos indeseables del franquismo. Algo parecido ha pasado más recientemente con el intento de golpe de Estado separatista en Cataluña, del cual muchos observadores foráneos no han querido o sabido ver más que la «desmesura» de la respuesta policial y las severas condenas jurídicas a los responsables...

Esos intelectuales de izquierdas —o siniestros, por mejor decir— no están realmente interesados por las circunstancias históricas reales de la situación en que intervienen, sino solo por el manual de su rol de anticonformista: hay que estar con quienes se rebelan contra el Gobierno, con los que buscan cambiar el sistema (aunque sea el sistema democrático), contra las actuaciones policiales, contra las penas de cárcel, por lo menos en los países capitalistas... Los policías y los jueces de regímenes como Cuba o Venezuela suelen ser vistos con mejores ojos. En ocasiones este afán de singularizarse como díscolos (es decir, como borregos con piel de lobo) lleva a rechazar las luces de la Ilustración: recientemente, dos pensadores de tanta enjundia como Massimo Cacciari y Giorgio Agamben han firmado un manifiesto contra el pasaporte de vacunación anti-covid y su exigencia para viajar o frecuentar locales públicos. Lo comparan con las leyes nazis que discriminaban a los judíos y lo consideran un aviso del totalitarismo que viene o que, encubierto, ya está entre nosotros. Estos siniestros se parecen con sus graznidos a los gansos que según la leyenda alertaron al Capitolio de la llegada del enemigo, pero se diferencian de ellos en que en el viejo relato denunciaron un peligro real, mientras que ahora solo se trata de hacer el ganso... izquierdista.

Desafecto

22 de junio de 2019

Por encima de todo, guardo imborrable afecto a lo que falta, a lo que aún no llega o ya no vuelve.

En un artículo que volvía sobre el franquismo reencontré una expresión que no leía desde hace años: «Desafecto al régimen». Como si me recordaran alguno de los motes nada amables de la época colegial. Fui desafecto al régimen como estudiante levantisco, como joven profesor, como «publicista» (pudoroso apelativo que nos daba la *Revista de Occidente* de Paulino Garagorri a los colaboradores sin mérito demostrado), como ácrata ingenuo, como libertino algo torpe, como novio sobón, como marido indeseable... Pero acabó el régimen (aunque hoy algunos no lo crean y lo zarandeen para darle grande y cómoda lanzada) y me temo que seguí bastante desafecto, no a la incipiente democracia aunque sí a los usos que le dan mis conciudadanos. La desafección se alivió algo allá por 1978, volvió a agudizarse pronto —ETA y Tejero mediante— para irse después haciendo crónica. Sobre todo desafecto a los míos, porque afecto a los otros nunca fui, hasta no saber ya si soy «de los nuestros». Pero una desafección sin pavoneo ni autoindulgencia, la desafección de alguien en busca desesperada de afectos razonables a quien las circunstancias han convertido, como al Ricardo III *chespiriano*, en «enemigo de sí mismo».

Escapan a mi desafecto varias personas, cada vez menos, algunas sin sospechar siquiera el favor que me hacen existiendo. Y ciertas instituciones venerables de las que me burlé cuando era como los tontos que hoy me desesperan. También los niños más pequeños, inquietos y parlanchines, por quienes daría la poca vida que tengo para rescatarlos de familias y pedagogos. Y todos/todas quienes evitan el resentimiento de esas identidades que fundan farsantes y rentabilizan tribunos de la plebe. Por encima de todo, guardo imborrable afecto a lo que falta, a lo que aún no llega o ya no vuelve.

Col tempo...

Han pasado más de dos años desde que escribí esta columna y mi tendencia a la desafección no ha dejado de agravarse, sobre todo en lo que toca a las instituciones oficiales. Considero al actual Gobierno de Pedro Sánchez, amalgama de lo peor del socialismo de garrafón con el comunismo de siempre (o sea, malo pero además inútil, no como el de la transición), no solo como poco competente, sino abiertamente dañino, por sus alianzas parlamentarias con los separatistas vascos y catalanes y las concesiones que está dispuesto a hacer a esos indeseables políticos para garantizarlas. Ayer mismo, en la fiesta del PC, Pablo Iglesias anotaba en su lista de méritos haber evitado que Sánchez se apoyase en C's y, en cambio, haber facilitado que prefiriese a EH Bildu, el exterrorismo remozado, y a ERC, los separatistas catalanes «buenos» (en el sentido en que fue «bueno», por ejemplo, José María de Areilza comparado con Arias Navarro). Es probable que en buena *merdida* (me ha salido esa errata del teclado y prefiero dejarlo así) tenga razón el narcisista Iglesias y Podemos haya sido decisivo a la hora de acercarse a los partidos que más pueden perjudicar al país pero menos al Gobierno.

En cualquier caso, a muchos nos es imposible compartir afección alguna con el Ejecutivo así conseguido y los que aún los jalean o al menos los blanquean en los medios (v. gr., el modelo Sánchez Cuenca y quienes lo emplean para que lleve a cabo confortablemente su empeño de agitprop). La verdad es que tampoco soy entusiasta de los representantes actuales de la oposición, pero al menos les reconozco la brizna de esperanza de poder librarnos de Sánchez y su reata. En este caso, con todas las cautelas imaginables, el bueno por conocer es mejor que el demostradamente malo conocido...

Enfrentamiento

20 de julio de 2019

Las izquierdas y derechas respetables son las que no se convierten en subversivas cuando ven a sus adversarios en cargos institucionales.

Hay ensayos recomendables por su claridad de pensamiento, por la novedad de enfoque o por su estatura literaria. Y estos dones no le faltan a *Las armas y las letras*, de Andrés Trapiello (acaba de aparecer en Destino otra edición muy ampliada), pero yo la considero imprescindible por higiene: intelectual, histórica y democrática. Su lectura purga del sectarismo ciego que convierte nuestra guerra civil en un guiñol de estacazo y tentetieso, con el lado de los ángeles y el de los villanos delimitado nítidamente por voceros malentendidos. Revela la existencia de unos españoles que padecieron los extremismos opuestos de los demás, dejando testimonios despreciados por leso fanatismo. No solo los necesitamos para entender el pasado, sino para resistir los miasmas del presente: los perpetuos antifranquistas que elevan a fascismo cuanto se desvía de la ortodoxia zurda y los descubridores de *gulags* tras cada socialdemócrata y cada *prrogrre* (pronúnciese con gargajo incluido).

En la Guerra Civil, la tercera España acosada desde ambos frentes (lo peligroso no es el bipartidismo, sino el biextremismo) no tuvo el amparo de una Constitución en la que caben quienes piensan que el matrimonio solo es entre hombre y mujer o que la propiedad privada es un robo... siempre que respeten las leyes vigentes, sin atropellar a los que las cumplen. Las izquierdas y derechas respetables son las que no se convierten en subversivas cuando ven a sus adversarios en cargos institucionales. Lo peor de lo ocurrido en el Desfile del Orgullo no fue solo el repelente escrache de la calle, sino oír a los «razonables» predicar que ellos abominan de los gestos violentos, pero comprenden que quien mal anda mal acaba. ¡Ah! Y el feminismo no es exclusivo de izquierdas, pero señalar feministas buenas y malas, desgraciadamente sí.

Col tempo...

Hay realmente un antes y un después de *Las armas y las letras*, por una vez la tópica hipérbole responde estrictamente a la realidad aunque muchos hayan tardado en darse cuenta: no solo porque Chaves Nogales, Clara Campoamor o Morla Lynch, con el resto del escuadrón de la tercera España, sean ya referencias inocultables para entender la contienda civil, sino también porque sin sus parientes actuales no puede captarse con un mínimo de lucidez la esgrima política de España hoy. Por eso es relevante que ahora la portavoz de los socialistas madrileños haya coceado un poco ante la concesión de la medalla de oro de Madrid a Andrés Trapiello, acusándole de «revisionista». Porque en efecto lo es: se ha negado con documentos en su apoyo a aceptar como verdad revelada y sobre todo reveladora de nuestra actualidad la versión en blanco y negro de la Guerra Civil con sus daños colaterales. Resulta alarmante y patético que precisamente hayan sido socialistas los que hayan puesto pegas a esta «revisión» como si perjudicara a su argumentario y diese razones al enemigo. Si continuaran siendo el centro-izquierda que un día reclamaron ser, habrían celebrado esta aportación a los matices del torpe fratricidio pasado con más entusiasmo que ningún otro grupo. Pero han trocado la ilustración progresista por el obtuso sectarismo: cada vez son menos conscientes de lo que son y tienen conciencia más ufana de lo que creen ser. Una desgracia social difícil de remediar.

Tsunami

14 de septiembre de 2019

La educación no sirve para identificarnos narcisistamente con nuestra casa, sino para volver a ella sanos y salvos.

Llevo tanto tiempo escribiendo sobre y, en general, contra las mismas cosas (infructuosamente) que a veces me tienta acudir al archivo y reestrenar un artículo de hace meses o años que conviene impecablemente a la actualidad. Algo, por ejemplo, sobre la manía autonómica de excluir del currículo escolar cuanto no tiene *label* de autenticidad local. O sea, no enseñar en Aragón más que los afluentes del Ebro que recorren tierra aragonesa y cosas parecidas. O el problema que tuvieron hace tiempo unos editores amigos con el manual de historia: ilustraron la lección sobre el románico con una foto de San Martín de Frómista, lo que suscitó una reconvención de la consejería andaluza porque esa bella iglesia no está en Andalucía. Ellos arguyeron que no había fotos equivalentes de románico andaluz (?) y no sé cómo acabó la cosa. Yo les aconsejé que pusieran el patio de los Leones de la Alhambra con un pie explicando que precisamente eso no era románico pero ayudaba a hacerse una idea *a sensu contrario*. O algo así...

Mi heroína escolar predilecta, que quisiera ver convertida en santa patrona de la escuela moderna, es una chica de Liverpool de doce o trece años, que pasaba sus vacaciones en una playa de Indonesia con sus padres. Leyó en el mar burbujeos, en el aire ráfagas inquietantes y les dijo: «¡Tsunami! Mejor nos vamos». Los papás la sabían aplicada e hicieron caso. Y el resto de los bañistas de la playa también. Fue de los pocos lugares donde no hubo víctimas durante la terrible catástrofe.

En Liverpool no hay tsunamis, claro, pero conviene saber reconocerlos por si uno viaja. Porque la educación no sirve para identificarnos narcisistamente con nuestra casa, sino para volver a ella sanos y salvos.

Col tempo...

También en este aspecto hemos empeorado en España. No solo los planes de estudio autonómicos siguen priorizando localismos del modo más cateto, como si solo fuésemos a movernos alrededor de nuestro propio cuarto, según el famoso relato de Xavier de Maistre, sino que ahora se han introducido sesgos que van en contra del universalismo desde otros puntos de vista, como la perspectiva de género o la autodeterminación de la identidad sexual. Todo lo que se aprende debe girar en torno al propio ombligo y dar máximo rango al voluntarismo caprichoso de cada cual, cuando precisamente lo que deberíamos aprender es a alejarnos de nosotros mismos y a mirar las cosas desde cierta objetividad impersonal. Ninguno nacemos con una mirada despojada de subjetivismo, que es la que permite el conocimiento científico y también en buena medida la valoración artística. Nada más equivocado educativamente, a mi inmodesto entender (y ahora quizá estoy pecando del mismo vicio que critico), que reducir la formación humana a esa recomendación troglodítica que a veces resuena en lo peor de la sabiduría clásica y los menos acertados manuales de autoayuda: «Aprende a ser tú mismo». Pues no, ni hablar. Aprende a dejar tu querido «yo mismo» en el guardarropa, junto a «lo de aquí» y a «lo que yo siento, lo que yo quiero», para dar paso a aquello a lo que nos parecemos cuando dejamos de mirarnos al espejo. Vernos no en los particularismos sino en la universalidad, aprender la importancia del concepto y dejar a un lado por un rato el pintoresquismo de las anécdotas que nos resultan más familiares. Los niños y adolescentes (como los hombres ignorantes toda su vida) están obstinadamente centrados en sí mismos: educarlos es descentrarlos, sacarlos de su «zona de confort», mostrarles que la realidad es lo que no se pliega a nuestra voluntad por mucho que pataleemos contra ella. Enfocó bien la cuestión François Mauriac, cuando respondió al que le preguntaba qué hubiera querido ser: *moi-même, mais reussi* («yo mismo, pero conseguido»). La educación no está destinada a cultivar lo que somos sino a lograr que se transforme en lo que deberíamos ser.

Capaz

12 de octubre de 2019

En 2019 Enable se propuso el reto más difícil: pocos caballos han ganado dos Arcos, pero ninguno ha conseguido repetir la hazaña tres veces.

La llamaron Enable y, en efecto, era capaz de todo. La vi por primera vez en Epsom, cuando iba a participar en el Oaks. Retumbó el trueno, una yegua americana se asustó y desmontó a su jinete; empezó a llover. Contenta bajo el aguacero, Enable se distanció de todas y triunfó cómodamente. Corría con la misma naturalidad sin aspavientos con que se pasea. Así ganó también el King George y todos sus demás compromisos hasta el señero Arco de Triunfo, que conquistó sin problemas. Tenía tres años, la edad privilegiada, y una relación casi amorosa con Lanfranco Dettori, milanés afincado en Newmarket, que es el mejor jinete europeo. La temporada siguiente sufrió una lesión y no la vimos hasta otoño. Reapareció en una carrera menor y luego fue al Arco, que volvió a ganar, aunque esta vez por la mínima. En 2019 se propuso el reto más difícil: pocos caballos han ganado dos Arcos, pero ninguno ha conseguido repetir la hazaña tres veces. Ella lo intentó en una pista empapada con el denuedo de siempre: luchaba contra lo probable, contra la desilusión preventiva... ¡Corría por nosotros! Pareció que iba a conseguirlo, pero en los últimos metros fue rebasada por un rival al que antaño había batido. ¡Solo segunda! La despedimos con aplausos: hay derrotas que embellecen.

Su futuro está en algún bello prado de Normandía, Kentucky o Japón. Solo los toros de lidia se crían en entornos tan privilegiados como los caballos de carreras. Será madre. A veces, mientras acaricie con su morro delicado al potrillo zanquilargo y temblón que se le arrima, creerá escuchar ovaciones lejanas, la voz risueña de Dettori, el galopar ominoso de los adversarios que se acercan. Como recordando a medias un sueño que ya se difumina, quizá piense: «Yo fui Enable»...

Col tempo...

En esta columna me apresuré un poco al jubilar a Enable. A pesar de que todos creímos que iban a retirarla ya, aún siguió en entrenamiento un año más, a la espera de intentar de nuevo la aventura del Arco. Y ganó otra vez el King George, uno de esos triunfos que en otro caso habrían justificado toda una trayectoria hípica. Para ella era un simple trámite. Pero cuando llegó el día del Arco, con Longchamp vacío e inhóspito por culpa de la pandemia, la pista estaba convertida en un inmundo lodazal. Solo caballos con algo de nutrias tenían probabilidades de ganar. Alguna otra participante destacada se retiró dignamente, pero Enable no era de las que rehúyen los retos. Allí estuvo, chapoteando con denuedo pero sin suerte, montada con delicadeza de novio sensible en la noche de bodas por Dettori. Pasó sin pena y con gloria (la que llevaba de antes, de siempre) y ahora sí que fue su despedida. Llegó el momento de esperar con impaciencia ver a sus retoños en la pista. En eso las yeguas tienen menos oportunidades que los machos. Un semental procreará más de cien potrillos al año, con lo cual sus admiradores tenemos asegurado su recuerdo vivo durante mucho tiempo porque puede estar en activo hasta bien pasados los veinte años. En cambio una madre no tendrá en toda su vida fértil más de diez o doce crías, quince a lo sumo, lo que si es una campeona da un valor casi incalculable a las joyas de su vientre. Yo espero mucho de mamá Enable, pero dudo que alumbre otra u otro que pueda compararsele. Había algo de único, de intransferible, en su coraje y determinación. Procreará una digna estirpe, pero su singular capacidad morirá con ella. ¡Qué cruel inexplicable fatalidad que los caballos mueran siempre pronto mientras que quienes los hemos amado, admirado y gozamos con ellos los sobrevivamos década tras década, inútiles y nostálgicos!

Country Club

26 de octubre de 2019

Ya tenemos un Basque Culinary Center que hace relamerse de envidia a medio mundo y vamos hacia un Euskadi-Basque Country que despertará no menos admiración

Ayer cumplió cuarenta años el Estatuto de Gernika, clave del autogobierno vasco dentro del reino de España. Este documento regula los derechos y deberes de los ciudadanos en este rincón del Estado, en particular, el derecho a no ser separatista y el deber de cumplir nuestras obligaciones con los demás compatriotas españoles. No sé si este derecho y este deber quedan claros en el documental que EITB ha dedicado al cumpleaños, tengo ciertas dudas. El Ejecutivo vasco, encabezado por el PNV y por el *lehendakari* Urkullu, no conmemorará el cumpleaños como no lo ha hecho ninguno de sus predecesores en estas cuatro décadas, salvo en el periodo presidido por Patxi López a propuesta del PP aceptada por el PSE. No crean sin embargo que se desentienden totalmente del significado de la fecha. Urkullu ha señalado que será un buen día para «asumir el compromiso de la construcción social, cultural y nacional del Euskadi-Basque Country». Luego dirán...

Ya tenemos un Basque Culinary Center que hace relamerse de envidia a medio mundo y vamos hacia un Euskadi-Basque Country que despertará no menos admiración. Y todo muy nuestro, muy ligado a nuestras raíces, como los propios nombres indican. Supongo que el nuevo Estatuto que se está preparando debe guiarnos hacia la *country* prometida. ¡Quién sabe lo que ocurrirá de aquí a otros cuarenta años! Aunque soy malísimo profeta, auguro que nuestra comunidad no será más próspera, ni más libres sus ciudadanos, ni mejores las obras artísticas que aquí florecen, de lo que son ahora bajo la suave y no totalmente acabada égida del Estatuto actual. ¿Se apuestan algo? Habrá aún descontentos para creer que sin el aire español que les sostiene volarían mejor. Y lo único seguro: seguirá mandando el PNV.

Col tempo...

En efecto, una vez desaparecida la violencia etarra seguimos habitando el espejismo de siempre, esa realidad nacional que hay que construir aún social y culturalmente porque está solo en el chasis. Pero ¿acaso no tiene el País Vasco rasgos de nacionalidad histórica suficientes, una sociedad con arraigadas costumbres y formas de vida común, y una cultura representada por pintores, escritores, cineastas, etc.? Pues sí, todo eso existe, pero no de modo satisfactorio y debido. ¿Por qué? Pues porque no se opone suficientemente a lo español ni se distingue bastante de España. Todavía a los vascos se les confunde con españoles o incluso con franceses, cuando en cambio nadie se equivoca tomándolos por suecos o indonesios. A pesar de nuestras características nacionales (¡ay, si tuviésemos Estado propio! Pero claro, eso cuesta mucho dinero. Como no nos lo regale España...), pese a una sociedad pujante y una cultura estimable en tres lenguas, aún queda mucho camino por recorrer y mucho por construir... después de haber destruido los puentes con España, claro. Para comenzar, todas nuestras entidades más relevantes científicas o culinarias deben llevar sus nombres en inglés. Así demostraremos que no somos ni españoles ni franceses (anglosajones ya se nota que no somos). Es un primer paso para afirmar nuestra personalidad, *only* un primer paso, pero *less is nothing. Good by!*

Más breve

14 de diciembre de 2019

Se podría decir que Félix Fénéon fue el precursor de los tuits.

Félix Fénéon fue uno de los personajes más increíbles de fines del XIX y comienzos del XX. Crítico de arte y literatura con olfato infalible, descubre a Rimbaud, Alfred Jarry, Apollinaire, mientras organiza exposiciones pioneras de los futuristas, Seurat, Gauguin, Matisse... También fue anarquista, colaboró en varias revistas libertarias y hasta fue acusado de preparar un atentado en París que causó un herido. En el juicio se defendió él mismo e hizo reír tanto a la sala mostrando las incongruencias de la acusación que tuvieron que absolverle. Publicó numerosos artículos certeros pero siempre anónimamente o firmados solo con sus iniciales. La única obra editada en su vida, a instancias de amigos, fue *Los impresionistas en 1886*, que reúne tres críticas de exposiciones: 45 páginas, tirada de 227 ejemplares. Él insistía: «No aspiro más que al silencio». Quizá no hubiera aprobado la exposición que hasta enero de 2020 le dedica el Museo de l'Orangerie (F. F. *Les temps nouveaux, de Seurat à Matisse*). Muy recomendable.

Después de su muerte aparecieron unas colaboraciones de 1906 en *Le Matin*, periódico de gran tirada. Eran también anónimas, pero su amante las recortó y pegó en un álbum.

Pertenecían a la sección de Sucesos, que contaba con exacta y enorme concisión. Título: *Noticias en tres líneas*. No más de 140 caracteres, o sea, ¡los primeros tuits! Con una gracia lacónica muy difícil en francés, lengua que tiende al alejandrino... «Scheid, de Dunkerque, disparó tres veces a su mujer. Como no le daba, apuntó a su suegra. Acertó». «El mendigo septuagenario Verniot, de Clichy, murió de hambre. En el colchón escondía 2.000 francos. Pero no hay que generalizar...». «Ya no hay Dios ni para los borrachos: Kersilie, de Saint-Germain, que confundió la ventana con la puerta, ha muerto». Qué envidia, tan breve.

Col tempo...

Solo haré unas mínimas líneas de comentario a este tributo a Félix Fénéon, santo patrono de la concisión, para no desentonar con la columna apostillada. Ser capaz de decir lo más importante con el menor número de palabras es lo más parecido a un don del cielo que conozco en el terreno literario. Lo excepcional de Fénéon es que no hizo aforismos o máximas, cuyo contenido se pliega mejor a la fórmula apretada, sino pequeños relatos que conservan su intriga, su moral y hasta su moraleja, sin añadir circunloquios. Si todos los afiliados a Twitter gozaran de la misma facilidad, me apuntaría con mucho gusto a esa red social, pero por lo que he podido leer aquí y allá en los dominios del pajarito azul, abundan poco los Fénéon y mucho los *fainéants*...

Apostillas

18 de enero de 2020

Los ciudadanos tenemos estrictas reglas para votar, los políticos deberían tenerlas también para tomar posesión de sus cargos.

Ya les comenté el año pasado que las fórmulas estrambóticas en la toma de posesión de los diputados bastan no solo para dudar que legalmente nos representen, sino incluso de que quieran representarnos. El argumento definitivo es que nuestros votos, gracias a los cuales han sido elegidos, solo son válidos si se atienen escrupulosamente a las pautas prefijadas: cualquier añadido en la papeleta, sea comentario o broma, no es celebrada como una muestra de libertad de expresión sino que invalida el voto. No se admiten sufragios «creativos»: podemos votar a quien nos dé la gana pero no como nos dé la gana, sino como está mandado. Que los así elegidos puedan en cambio soslayar el compromiso constitucional al asumir su mandato, improvisando jaculatorias informales, ilegales y resueltamente memas establece una desigualdad entre los ciudadanos que deben tomarse en serio las elecciones y los electos que según les dé. Hasta la señora Batet debería comprender que es injusto, si un día le da por pensar y no por obedecer.

Ahora bien, esta desigualdad se puede solventar exigiendo jurar el cargo como es debido o permitiendo apostillar su papeleta a los votantes. ¡Sugerente posibilidad! «Voto a xxx... porque los considero tan pardillos que serán incapaces de robar... porque han prometido poner semáforo en mi calle... porque los detesto y quiero ponerlos en evidencia... porque la Virgen del Pilar dice que no quiere ser francesa ni mucho menos catalana... porque creo que todos los animales deben poder participar y seguro que los asnos les votarían a ellos... porque más vale malo conocido que fatal por conocer... para que no ganen las derechas... para que no ganen las izquierdas... para intentar que pierdan los creyentes de derechas y de izquierdas... porque me lo ha pedido mi nieta, que es muy rica... porque cuanto peor, mejor». Juerga asegurada.

Col tempo...

Reconozco que la benevolencia con que se admite a los diputados todo tipo de fórmulas risibles o truculentas para tomar posesión de sus escaños es una de las cosas que más me irritan de nuestro circo parlamentario. Lo que nunca se aceptaría en un juicio, en una boda o en un bautizo, en unas oposiciones o al establecer un contrato se ha convertido casi en un ritual parlamentario que se espera como algo sumamente gracioso y desinhibido. Ahora es ya el diputado que se limita a decir «juro» o «prometo» quien queda como un esaborío, alguien adocenado y de poco ingenio. Algunos aseguran que no hay que dar importancia al trámite de la toma de posesión, que es simplemente una convención. Pues eso es precisamente lo importante del asunto. La representación política es una convención y el poder que ostentan los parlamentarios es también convencional: en democracia se llega al poder por convención, no por usurpación violenta o golpe de mano. Si uno no respeta la convención está favoreciendo, lo sepa o no, el atropello golpista. No entender la importancia civilizadora de la convención legal es no comprender la sociedad humana, que precisamente por eso se diferencia esencialmente de las sociedades zoológicas de abejas y hormigas. En tal convención estriba la «capacidad de prometer» que Nietzsche reconoció como el zócalo sobre el que se edifica nuestra convivencia. Convertir el momento solemne en que se asume un papel distinguido en el Estado de derecho con un torneo de bromas o altisonancias escolares es humillante para los que han votado y debería ser derogatorio para los elegidos. Por supuesto, el remedio que propongo en la columna comentada —que los votantes también apostillen su papeleta electoral— no debe tomarse en serio, como tampoco deberían tomarse seriamente los cargos asumidos con parloteos caprichosos en lugar de la fórmula establecida.

Incitatus

14 de marzo de 2020

Si los animales tienen derechos, ¿por qué un caballo no puede ser senador?

Revela el BOE que uno de los primeros nombramientos de Pablo Iglesias, el vicepresidente del que tantas sorpresas revolucionarias esperamos, es el de director general de los Derechos de los Animales. Ese cargo supone el mayor terremoto zoológico en lo político desde que Calígula nombró senador a su caballo, llamado Incitatus. Pero el gesto de Iglesias es más gubernativa y jurídicamente conmovedor: pese a las dudas sectarias de los reaccionarios, los animales no solo tienen derechos (se supone que humanos, porque no imaginamos otros) sino que a partir de ahora disfrutarán del beneficio de un director general. No hay cuadra, gallinero, establo, palomar o piscifactoría en España donde no caracolee el entusiasmo: ¡ha llegado nuestro salvador! Si los animales tienen derechos, ¿por qué un caballo no puede ser senador? Lo que el emperador orate hizo como capricho hoy alcanza fundamento progresista...

Los hay que no lo tienen claro. Ayer debía presentarse en el Senado (sin caballos presentes) las actas del simposio internacional *Los hombres y los animales*, celebrado hace un año y promovido por la asociación Los hombres y los animales en su sitio. Filósofos, psicólogos, antropólogos, periodistas, ganaderos, veterinarios, cazadores, toreros, cocineros, etcétera, intentan señalar ante la vida animal, por decirlo con el filósofo Gómez Pin, los «criterios para un comportamiento acorde con la razón ilustrada». Esfuerzo sugestivo con resultados dignos de consideración, pero que no convencerán ni a Calígula ni a Pablo Iglesias. Porque la razón ilustrada se resiste a confundir seres vivos con derechohabientes, a los que sienten dolor con sujetos morales, a los que parlamentan con los que relinchan... Mejor busquemos un patrono para los nuevos animales: ¡san Incitatus! *Ora pro nobis...*

Col tempo...

Desde muy pequeño he sentido fascinación por los animales. Durante muchos años, la mayor parte de lo que leía trataba de ellos, fuese la obra de naturalistas, de cazadores o de novelistas que centraban su obra en una bestia, fuese Colmillo Blanco o Moby Dick. Aún hoy me cuesta resistirme a un relato en el que abunden tiburones o dinosaurios... Creo que mi afición a las carreras de caballos viene de ahí, así como por los toros (aunque esta sea mucho menor). Cuando iba al circo, era ante todo por ver animales exóticos o peligrosos «de cerca»: me hubiera ahorrado gustoso las habilidades que les habían enseñado, solo quería verles desperezarse y abrir la bocaza o levantar la trompa. Yo tengo un amor romántico por los animales, por eso soporto mal las exageraciones «protectoras» de los animalistas. Me parece que son lo contrario de los naturalistas clásicos, los veo más bien como antinaturalistas. Lo hermoso y enigmático de los animales, lo conmovedor me atrevería a decir, es que comparten con nosotros la vida y el mundo, sufren, disfrutan y tienen que esforzarse por no perecer, pero no son como nosotros: no padecen un conflicto permanente consigo mismos, no *argumentan* su vida. Si fuesen casi humanos, poseedores de derechos y deberes, víctimas de la intolerancia y deudores de la felicidad, perderían su mayor encanto para mí. La mayor lección que aprendo de ellos es que se puede vivir la atrocidad de la vida y mantenerse inocente o, mejor dicho, desconocer la culpa. Por eso verlos me regocija y me consuela. Aceptar esa lección que no todos comprenden es nuestra obligación principal hacia los no-humanos. Hoy, mientras escribo este comentario, se prepara una ley de bienestar animal, de la que hasta ahora solo conozco disposiciones sobre cómo deben ser tratadas las mascotas. Habrá que estudiar un cursillo para tener un perro, no se le podrá dejar solo más de un mes, cosas así... No me parece mal porque los animales que sirven de mascota están en transición a dejar de ser animales y convertirse en un tipo de infrahumanos, algo así como los ejemplares del doctor Moreau. Se les deben miramientos ya que se les roba la inocencia. Por lo demás, la ideología animalista convierte a todos los animales en mascotas o en intocables. Que legislen por tanto como manda la moda. Pero que no pretendan moralizarlos ni espiritualizarlos de ningún modo: ellos no se lo merecen y nosotros tampoco.

Tristura

21 de marzo de 2020

Me paré delante, sin saber qué hacer, cómo exteriorizar una emoción tan convulsa que hasta a mí me resultaba ridícula.

Hace poco decidí volver al barrio de Gros para encontrar la calle y el portal. La casa donde estuvimos juntos por primera vez: San Francisco, 46. El número figura arriba, en un rectángulo de piezas de vidrio humildemente modernista. A ella le gustaba tanto el modernismo... pero seguro que no se aficionó ahí. Me paré delante, sin saber qué hacer, cómo exteriorizar una emoción tan convulsa que hasta a mí me resultaba ridícula. Lástima no ser ya capaz de los gestos rituales de la piedad infantil: se inventaron como sobrio desagüe para la inundación íntima, arrolladora, de lágrimas atormentadas. Para convertir lo infinito de la angustia en infinitud de la esperanza. Pero no puedo... me limito a carraspear, quitarme las gafas y frotarlas con el pañuelo como si lo que las nubla estuviese en los cristales y no en mis ojos. Ese portal lo cruzamos juntos una noche y entramos en la otra vida, la verdadera pero efímera también.

A veces me decía: «Se me ha metido una tristura...». Y me miraba como aniñándose, con tierno desafío, recordándome sin palabras que mi obligación de amante era revertir el turbio desconsuelo y devolverlo brillante al bazar de la alegría. Yo lo dejaba todo y me ponía a la tarea con denuedo torpe pero entusiasta, recurriendo a las gansadas y a las citas de Shakespeare, a los mimos y a las promesas de aventuras cinematográficas, a la evocación de paisajes felices y a la maledicencia política, evocando recuerdos gratos, proyectos improbables, nuestras ilusiones. Por fin la nube en su rostro se marchaba al infierno del que vino y me sonreía muy poquito, de medio lado, pero bastaba. ¡Ya! Volvía su serenidad algo melancólica, y yo recuperaba mi alegría bastante nerviosa, *as usual.* Se acabó ese vaivén, ahora no hay tregua. Cinco años hace y solo me queda, invencible, la tristura.

Col tempo...

Cuando recuerdo a mi Sara —todos los días, muchas veces— la imagino algo triste y pienso que mi obligación es alegrarla. Pero ¿cómo lograrlo, siendo yo ahora un triste casi profesional, un triste a tiempo completo, como dirían en México? Siempre he pensado (aunque no siempre lo he practicado) que la única obligación inexcusable que tiene un amante para su amada o amado es alegrarle la vida. Amar, como he repetido muchas veces, es dejar de vivir para algo y ponerse a vivir para alguien. Y el mejor regalo que podemos hacer a quien amamos es la alegría. O si se prefiere, visto desde otro ángulo: ser leal al otro (la fidelidad para los chuchos) es no traicionarle nunca con la tristeza, no convertirle en «paño de lágrimas», como suele decirse. Cuando repaso en clave de arrepentimiento tardío mi relación de treinta y tantos años con Sara, lo que lamento como imperdonable no son mis infidelidades (aunque no estoy ni mucho menos orgulloso de ellas, porque nunca pude confesárselas), sino las veces que la entristecí, que escogí su hombro para darme el gusto sádico de llorar sobre él, que ella vino a mí con su tristura y el ruego que implicaba y yo no tuve tiempo para aliviarla.

«No seas tonta, mujer», le decía, cuando el tonto, el maldito imbécil cruel que dejaba lo más importante por cualquiera de esos pasatiempos vanos que entretienen a los varones, era yo. ¡Ah, si pudiera volver atrás...! Ahora sé que todo el tiempo que no dediqué a recuperar y consolidar su alegría fue tiempo irremisiblemente perdido. Cuando ha llegado para quedarse el desconsuelo, ayer, hoy, mañana, ya no puedo remediar mi fatal descuido. No solo porque ahora no sabría cómo hacerle llegar la alegría, sino porque ya no tengo alegría que facturarle. Ese es mi castigo por haberle fallado tanto: sentirla triste y no poder alegrarla ni, por tanto, alegrarme. Un castigo del que solo ella podría redimirme, si alguna vez volvemos a vernos.

Arrepentimiento

18 de abril de 2020

¿Cómo seremos después de la pandemia? Ojalá hayamos aprendido a quejarnos menos y disfrutar más.

En mi adolescencia de colegio religioso solían llevarnos a ejercicios espirituales: tres días encerrados en una residencia, sin salidas ni visitas, escuchando homilías sobre las desventajas de morir en pecado y las incomodidades del infierno. Teníamos ratos dedicados a la meditación, a la que nunca he sido aficionado, que yo ocupaba con ocurrentes pensamientos impuros y prácticas nefandas. El objetivo del retiro espiritual era despertar el propósito de enmienda y cambiar —a mejor, claro— nuestras vidas. Conmigo nunca funcionó. En vez de recordar con santo rechazo mi pasada existencia pecaminosa, no veía el momento de salir de la clausura y volver al culpable paraíso.

Ahora vuelvo a estar en un encierro purificador similar: contra malicia, milicia, toca regenerarse. Tampoco creo que surta efecto. Predicadores de ambos sexos nos dicen cómo debemos limpiar nuestras costumbres, abandonar el consumismo, reconciliarnos con la naturaleza que tanto nos ama, renunciar a los caprichos del yo y entregarnos a los deberes del nosotros. Hablan en plural («debemos cambiar, no podemos seguir...»), pero es evidente que se refieren a los demás, porque ellos/ellas siempre estuvieron preparados para el santo advenimiento, listos para cuando la plaga les diese la razón. Entonan himnos a lo público, de cuya necesidad es difícil dudar con peste o sin ella, pero abominan de los empeños privados que precisamente ahora se están revelando como indispensables para la salvación social. Si son más tontos, nacen con asas. ¿Cómo seremos después de la pandemia, además de mucho más pobres? Ojalá hayamos aprendido a quejarnos menos y disfrutar más. O como ha dicho Marta Sánchez, pensadora más aguda que Agamben y Žižek: «Espero que no tengamos miedo a ser los de antes».

Col tempo...

Ahora que gracias a las vacunas y a que muchos han pasado ya la epidemia el final efectivo de la pesadilla covid parece estar realmente a nuestro alcance, las recomendaciones de cambiar penitencialmente de forma de vida se hacen menos apremiantes. ¡Fuera máscaras (y mascarillas)! Queremos volver a mezclarnos con los otros, a besarlos, a abrazarlos, a sobarlos lo más posible a poco que lo merezcan y a dejarnos sobar por ellos. Vivir humanamente es vivir achuchados y achuchando, olvidarnos del *pathos* de la distancia, ese prejuicio altanero que predicaba Nietzsche. También queremos reanudar nuestros alegres vicios, el consumo de los regalos que nuestra época nos hace, sus herramientas maravillosas, sus viajes, sus parques de atracciones y la atracción demasiado tiempo postergada de pasear libremente por cualquier parque. Y, desde luego, queremos reiniciar los trabajos de los que tanto nos quejábamos y que hemos aprendido a añorar como lo más parecido a nuestro destino en este mundo: trabajar, producir, construir, vender y comprar, regresar jubilosos al comercio de la carne y de la vida. Hemos vivido todos esta pandemia como un largo acontecimiento insólito que ha trastocado nuestras vidas, pero la verdad es que no ha habido generación desde que la historia guarda registro de nuestras sociedades que no haya conocido una pestilencia parecida, más o menos letal. Nos hemos ido haciendo humanos a golpe de epidemias, catástrofes y guerras. De ellas no se puede sacar otra lección que mayor determinación para afrontar las próximas plagas. En cuanto al arrepentimiento..., ¡ojalá lleguen a arrepentirse los virus cuando se convenzan de que no pueden con nosotros!

Tiovivos

4 de julio de 2020

Adiós a los topetazos inocuos de los autos de choque, al campanilleo del tiovivo y a la voz infantil que grita gozosa: «¡Mamá, mira, el Río Misterioso!».

He visitado los mejores museos en pos de mujeres cultas, he sido arrastrado —sin gran esfuerzo— a tabernas y lugares crapulosos por amigos golfos, mi padre me acostumbró a los hipódromos y mi madre a las librerías, pero solo a un sitio he ido por iniciativa y voluntad propia: a la feria. Los caballitos, que luego aprendí a llamar tiovivos, los autos de choque, la casa del miedo, el tren que recorre el laberinto de la risa, la noria, la montaña rusa y su vértigo (al iniciar la gran bajada, un amigo gritaba: «¡El futuro!»), el tiro al blanco, la caseta en que se exhiben serpientes adormiladas y chapotea en una bañera un pequeño cocodrilo... He sido adicto a esas modestas maravillas hasta una edad que me cuesta confesar. Incluso hoy volvería con culpable gozo a ellas si encontrase la persona que me ofreciese adecuada compañía. ¡Las atracciones de la feria! Para mí lo han sido, desde luego, incluso más que atracciones: adicciones. Pero ahora resulta que deberé resignarme a perder también el tintineo de ese paraíso...

Acosados por la epidemia que todo lo contagia y lo cierra, los feriantes ya no encuentran fiestas patronales en las que montar sus chiringuitos y freír churros para el nene y la nena. Se quejan de que las autoridades no les ayudan a subsistir como a otros gremios (pese a ser treinta mil familias y doscientos mil empleos), pero estoy seguro de que no es por desidia sino por temor a la competencia: nuestros gobernantes son como feriantes tristes, de vocación fingida y recursos obscenos, que prefieren arruinar las demás farándulas para monopolizar el pasmo, no de los inocentes sino de los bobos. De modo que adiós a los topetazos inocuos de los autos de choque, al campanilleo del tiovivo y a la voz infantil que grita gozosa: «¡Mamá, mira, el Río Misterioso!».

Col tempo...

La pandemia ha acabado con muchos negocios importantes, con algunos de los restaurantes que más me gustaban, con bares deliciosos, con pequeñas tiendas mal preparadas para resistir tempestades... Y con miles y miles de empleos perdidos, que quizá se recuperen en cifras pero no en la vida de la persona que se vio cercenada del suyo. De todas esas pequeñas catástrofes (pequeñas porque me gusta considerarlas a escala humana, no desde los cielos a vista de dron), el drama de los feriantes y sus reinos de purpurina y aceite recalentado es el que más me ha conmovido. Ya la época no era fácil para ellos: no se les encontraba en internet ni podían competir en Twitter con las atracciones virtuales que hoy acaparan la atención de los más jóvenes. Tenían prohibidas las exhibiciones de animales, que ahora son vistas como víctimas de tortura y no como curiosidades festivas; los decorados de cartón de sus atracciones eran ilustraciones de lo que hace más de cincuenta años se consideraba sugestivo pero hoy es ya incomprensible o pueril. Solo podían ofrecer sus emociones presenciales y con ellas acabó el confinamiento pandémico y el obligatorio alejamiento de los usuarios. Los niños pequeños aún podrían disfrutar de las ferias porque les gusta poner su cuerpo en juego, no solo ver imágenes, y quizá también las parejas de adolescentes enamorados —perdonen el pleonasmo— a los que la oscuridad traqueteante del tren del terror les permite darse mutuamente felices escalofríos... pero no se lo permitieron las medidas excluyentes contra los contagios. No hay nada tan dichosamente contagioso como una feria, todo en ella es impregnación de un ambiente, de músicas, de chillidos de contento, de luces y vértigo de mecanismos giratorios. Cuando hay miedo al contagio, también hay miedo a la alegría compartida y, por tanto, a las ferias: no hay tiovivos *higiénicos*...

Voces

12 de septiembre de 2020

Hay que repetirlo: las lenguas tienen dos enemigos, el que las prohíbe y el que las impone.

En tiempos pandémicos cada día trae una nueva alarma. Leo la de hoy en mi diario local: «Preocupa la pérdida del euskera entre los niños tras seis meses sin clases». Por lo visto, alejados de la escuela, los más jóvenes no utilizan el euskera para comunicarse. Desde luego, seguro que no se han pasado medio año callados, por mucho que les asustase el virus, ni tampoco han recurrido al gascón o al inglés para entenderse con la familia y los amigos. Han hablado, hasta por los codos, en castellano. Y no por mala intención o desafío, sino sencillamente porque es su lengua materna. El euskera lo estudian pero el castellano lo saben, de modo que recurren a él espontáneamente cuando salen del aula. Esto debilita su dominio de una de las lenguas de nuestra comunidad en beneficio de la otra e inquieta a sus educadores oficiales, que proyectan mil actividades lúdicas o no tanto para evitar este desfase. Kontseilua, la plataforma de asociaciones proeuskera, ya ha solicitado a las autoridades que la lengua vasca (o sea, una de ellas) sea el «eje» de este curso escolar tan atípico. Hay que convencer a los alumnos de que debe ser más importante la que aprenden que la que ya saben...

Por supuesto, nada que objetar a que los niños estudien euskera entre otras materias necesarias... pero sin sacrificar a ese aprendizaje los demás. Y sin olvidar que la mayoría de ellos tienen ya otra lengua también propia de su país y de la democracia en la que viven. Con ella pueden integrarse social y laboralmente, salvo que alguien los coaccione con mecanismos discriminatorios para hacerles abandonar su voz cultural. Hay que repetirlo: las lenguas tienen dos enemigos, el que las prohíbe y el que las impone.

Col tempo...

Lo que ocurre en algunas regiones de España (que la lengua propia de todo el Estado se ve arrinconada en la enseñanza y en las relaciones con la Administración) es algo único en Europa. No sucede nada igual en ninguno de los países de nuestro entorno democrático. Y lo más estupefaciente es que se llame «normalización lingüística» a que niños y no tan niños deban renunciar quieran o no a su lengua materna —que además en la inmensa mayoría de los casos es un idioma universal con cientos de millones de hablantes en el mundo— para sustituirla por otra que para ellos siempre tendrá una condición ortopédica y que tiene un ámbito de uso mucho más reducido. Es como si a alguien que sabe conducir coches de fórmula uno se le «normalizase» haciéndole aprender a trasladarse en bicicleta. Naturalmente, los niños aprovechan cualquier eventualidad, por ejemplo una epidemia que los confina con su familia, para volver a hablar la lengua de sus padres y de la mayoría de los medios de comunicación a su alcance. Eso sí que es «normal», como resulta normal que el agua de un río fluya hacia el mar y no que remonte la corriente cuesta arriba hasta llegar a su fuente...

Dos frentes

17 de octubre de 2020

Lo único seguro es que hoy la izquierda acumula los rasgos positivos mientras que la derecha se debate con los negativos o dudosos.

Hablando de su amigo Gary Cooper, al que califica de buen chico, el guionista Peter Viertel señala: «En lo político, estaba un poco a la derecha de Gengis Kan». Todos sonreímos ante la *boutade*, incluso la gente de derechas, aceptando que los rasgos brutales y depredadores del caudillo mongol corresponden al estereotipo eterno de la derecha, igual que otros rebeldes y fraternales a lo Espartaco podrían ser de izquierdas. Con naturalidad aplicamos ese paradigma binario a todos los tiempos como categorías universales, aunque en realidad la izquierda y la derecha son un invento reciente, de hace algo más de 200 años. Y que poco pueden explicar hasta la aparición del Estado contemporáneo, incluso después. Lo único seguro es que hoy la izquierda acumula los rasgos positivos mientras que la derecha se debate con los negativos o dudosos. Por eso cualquier persona que se considera de izquierdas se indigna si le llaman derechista, mientras que los de derechas sonríen pudorosamente si se les acusa de izquierdismo. La tradición manda que a la derecha se la juzgue por el peor de sus resultados y a la izquierda, por la mejor de sus intenciones. Así cualquiera... Comentando el vídeo *Viva el Rey* de Libres e Iguales, gente de orden preguntaba si no perjudicaría al Monarca ser celebrado por tanta gente de derechas, pero nadie planteó que los de izquierdas podrían verse tachados de anticonstitucionalistas por no participar en el homenaje.

Lo peligrosamente simpático de la izquierda es que ve a los Gobiernos como socorristas. No es criticable que el Estado proteja a los débiles pero sí que debilite a todos con su protección como proyecto político. «La patria es un hospital», enseña el profesor Errejón. Los ciudadanos son lisiados; los gobernantes, enfermeros, y los medios de comunicación, anestesistas.

Col tempo...

Esta columna recoge un asombro cuya frecuencia ha llegado a obsesionarme un tanto últimamente. ¿Cómo puede ser que la izquierda política, no tal medida o aquel político concreto, sino toda izquierda, por el solo hecho de serlo o denominarse así, resulte preferible a cualquier cosa a la que llamemos derecha? Es algo parecido a la postura de aquellos teólogos cristianos que negaban que las virtudes de los paganos puedan ser realmente dignas de admiración, porque les falta la gracia santificante que las elevaría a esa dignidad. Todo lo más son «vicios espléndidos», como creo que las calificó san Agustín. De igual modo, los aparentes aciertos o medidas bienhechoras de la derecha (hacer un excelente hospital en un tiempo récord para atender a pacientes de la pandemia, por ejemplo) deben estar en el fondo contaminados por negocios sucios o afanes publicitarios que los degradan a trampas políticas para incautos. ¿Cuánto tiempo aún tendremos que soportar este vacuo y tendencioso exorcismo político? ¿Hasta cuándo el marbete de «izquierda» o «derecha» servirá para valorar medidas políticas o sociales, prescindiendo de su análisis crítico? Hoy cualquier ciudadano intelectualmente maduro sabe que ni la honradez administrativa ni la recta intención cívica son patrimonio de nadie: tampoco los tradicionales principios doctrinales blindan a ninguno contra los errores del Gobierno, ni siquiera contra las fechorías. Las propuestas de gobierno hay que juzgarlas una por una según aporten utilidad, bienestar mayoritario o equilibrio social. Que sean calificadas como de derechas o de izquierdas ni las absuelve ni las condena. En cambio se debe desconfiar de quien orienta su juicio según tan poco fiables categorías.

Contrato

5 de diciembre de 2020

Mañana es el día de la Constitución. Un texto compuesto como un rompecabezas, lleno de ambigüedades e insuficiencias.

Mi entrada en la universidad, con diecisiete años «robustos y engañados» (Quevedo *dixit*), coincidió con una racha de alborotos de los que luego tanto abundarían a lo largo de la carrera. Me incorporé a los revoltosos sin apenas dudarlo y aún menos entenderlo. Nuestro acto subversivo principal era a mediodía: nos reuníamos en el *hall* de la Facultad, sentados en el suelo, y el delegado del sindicato estudiantil daba solemne (y nervioso) lectura a la Declaración de Derechos Humanos. Después entonábamos vacilantes el *Gaudeamus igitur* (yo solo movía los labios porque no me la sabía), pero enseguida intervenían los grises y disolvían sin contemplaciones la reunión. Años después, tras el Mayo del 68, mis amigos franceses se asombraban de que yo aún considerase la declaración de DD. HH. como un texto subversivo con tanto olor a azufre como el *Manifiesto comunista* o el *Mein Kampf*. ¡Los DD. HH., que nadie cumplía y que servían para encubrir declamatoriamente cualquier tropelía! Pero yo los había aprendido rodeado de esbirros, en aulas como celdas de prisión, hostigado por un autoritarismo pacato y estrecho que contravenía mi juventud: en esas condiciones, hasta el padrenuestro habría sonado a clarín de combate...

Mañana es el día de la Constitución. Un texto compuesto como un rompecabezas, lleno de ambigüedades e insuficiencias. Se aprende en pocos colegios, en muchos se enseña a detestarla. Los confortables guerrilleros de la subversión subvencionada se enorgullecen de ignorarla o la consideran el último episodio del franquismo. Pero es el contrato que nos reconoce ciudadanos, es decir, dueños de España, de norte a sur, de este a oeste: no como se posee el huerto en que se ha echado raíces, sino la familia con que compartimos el pasado y construiremos el futuro. Un contrato cercado por sombras indeseables pero escrito con luz.

Col tempo...

En su día, yo voté en blanco en el referéndum de la Constitución. La imposición sin debate de la monarquía me parecía difícil de aceptar. Y eso a pesar de que ya no era un niño, tenía treinta y un años. ¡Cuánto me ha costado sacudirme los tópicos y aplicar al presente la razón práctica y no los lemas heroicos! Ahora que he vivido un poco más (lo que no me hace más sabio, solo más viejo y, por tanto, con más decepciones en la mochila) he llegado a la conclusión de que toda solución política alivia tanto como decepciona. La Constitución del 78 fue la solución del callejón aparentemente sin salida a que nos abocaba la muerte de Franco con todos los elementos institucionales de la dictadura aún vigentes, por deteriorados que estuviesen. No podía haber franquismo sin Franco, como pretendían algunos, pero tampoco un salto colectivo al vacío confiando en que milagrosamente apareciese una red salvadora donde solo bostezaba un abismo atroz. La tarea pendiente era tejer una democracia más o menos plausible a partir de la urdimbre dictatorial. ¿Un empeño algo hipócrita, que debía utilizar como argamasa los principios de algunos y los intereses no siempre recomendables de muchos? Pues miren, sí. España era un país que comenzaba su desarrollo (capitalista, claro, no hay otro) y que aún tenía dentro peligrosos asesinos sueltos de una facción u otra, pero todas malas. La mayoría de los españoles de izquierdas o de derechas queríamos abundancia y consumo europeo, no venganza ni ese tipo de venganza con galones y pendones que suele llamarse justicia. Y eso es lo que obtuvimos mediante la solución constitucional. Desde luego, por *fas* o por *nefas*, la Constitución dejó algo descontento a todo el mundo y por eso funcionó como el salvavidas de todos. Décadas después aparecieron grupos crecidos en la abundancia y que desde el confort echan de menos la venganza de los agravios que no sufrieron y la justicia contra delitos que solo conocen de oídas. Pero no nos engañemos: los más conspicuos enemigos que tiene hoy la Constitución del 78 no quieren limpiarla de sus impurezas y mejorarla sino abolirla, llevándonos al periodo preconstitucional, es decir, al franquismo aunque sea de izquierdas o a la inviable descomposición nacional republicana. Por eso defender la Constitución que a ninguno nos gusta del todo es la más sensata y urgente tarea política que hoy tenemos los demócratas sin apellidos.

Trípode

27 de marzo de 2021

Prescindir de una de las tres patas de la democracia desvirtuaría el conjunto, que perdería su equilibrio por el lado de la justicia o de la libertad.

Cuando preguntaron al filósofo Leszek Kołakowski, exilado y viajero, dónde querría vivir, repuso algo así: «En una casa con el portal en una calle de París y su puerta trasera en el Soho, con ventanas al Gran Canal veneciano, con un pasaje secreto que llevase a la plaza de Cracovia y una terraza con vistas a una playa del Pacífico». Al escuchar las airadas discusiones entre izquierda y derecha en Europa (dejo fuera a comunistas y fascistas, que son *espectros* europeos, no partidos decentes), quisiera recordarles que nuestras democracias dan al capitalismo en su zona productiva de bienes y tecnología, a la socialdemocracia en lo tocante a redistribución y protección social y que son liberales en costumbres y creencias. Nadie sensato cree que sería mejor borrar del mapa político el capitalismo, la socialdemocracia o el liberalismo. Y un partido que propusiera en serio (no como exabrupto retórico, lo que es frecuente) una de esas aboliciones no encontraría votantes más que en los manicomios. Prescindir de una de las patas del trípode democrático desvirtuaría el conjunto, que perdería su equilibrio por el lado de la justicia o de la libertad.

La izquierda y la derecha son formas de sostenerse sobre esas tres patas, haciendo hincapié en una o en otra, rezongando o dando vítores al custodiarlas. Solo los llamados centristas asumen como inevitable el trípode y no fingen estar deseando cojear de algún extremo. Pero la mayoría de la gente, maleducada por demagogos, está convencida de que los vicios sociales vienen de esta o aquella pata aborrecida, aunque cuando ven en peligro ese apoyo se revuelven como mutilados. Y a la hora de votar se hacen un lío, porque les dicen que el Zendal es un despilfarro y la Plus Ultra una inversión estratégica...

Col tempo...

En esta última columna he intentado resumir apretadamente lo que hoy puede decirse respecto a opciones políticas en las democracias europeas. Para empezar, es falso que haya Gobiernos «de izquierdas» o «de derechas», porque todos los parlamentos tienen grupos de ambas tendencias —y de las intermedias— y necesitan medidas legales y sociales de ambos tipos. Si falta una de ellas, no estamos en una democracia sino en un totalitarismo enemigo de las libertades públicas. Lo que eligen los ciudadanos en cada caso son ejecutivos más preocupados por la gestión de las medidas redistributivas o de las liberales, pero sin suprimir ninguno de esos bloques complementarios. Por eso es frecuente que después de una época de Gobiernos «de izquierda» venga otra más derechista o viceversa: como ambas líneas políticas son indispensables, los propios votantes se encargan de corregir el desnivel en un sentido u otro de los gestores. Y también por eso mismo conviene desconfiar de los grupos políticos que, como suele ocurrir en España, ofrecen como principal programa: «Vóteme a mí porque, si no, vienen los otros», pues al parecer ignoran que los otros son imprescindibles y que ni «vienen ni van» sino que están en el sistema para quedarse e influir... afortunadamente. Si yo pudiera diseñar una educación cívica y política escolar, procuraría conseguir que los neófitos no se hicieran de izquierdas o de derechas, sino que se convencieran de que la realidad es compleja y tan necesarios son los que proponen renovar lo que no funciona o funciona mal como conservar lo que es sustancial a la viabilidad de lo establecido, aunque no suene exaltantemente hermoso. Ahí está el busilis del asunto: en desconfiar de los que venden bellas intenciones pero que siempre fracasan a la hora de medirse con la realidad, resultando incluso contraproducentes, o los que ofrecen soluciones que solo favorecen a minorías en contra de lo que necesitan los más, envueltas en inasequibles principios espirituales. De esos temas, en puntos más concretos, hemos hablado a lo largo de las distintas notas de este libro. La última frase de la columna comentada se escribió cuando los izquierdistas inanes trataban de convencernos de que hacer un excelente hospital dedicado a atender a pacientes del covid-19 era poco menos que un atentado contra el pueblo trabajador, al cual en cambio se servía financiando de forma torticera a una aerolínea de méritos más que dudosos...

Despedida

L'automne est morte souviens t'en
Nous ne nous verrons plus sur terre
Odeur du temps brin de bruyère
Et souviens-toi que je t'attends.

GUILLAUME APOLLINAIRE